改变世界的中国科技力量

新能源技术

中国科学技术馆 / 编著

化学工业出版社

·北 京·

图书在版编目（CIP）数据

新能源技术 / 中国科学技术馆编著. -- 北京 : 化学工业出版社, 2025. 6. --（改变世界的中国科技力量）. -- ISBN 978-7-122-47889-4

Ⅰ. TK01-49

中国国家版本馆 CIP 数据核字第 2025P0C148 号

责任编辑：刘莉珺　徐华颖　　文字编辑：蔡晓雅　　插画：刘　伟
责任校对：李露洁　　装帧设计：史利平

出版发行：化学工业出版社（北京市东城区青年湖南街 13 号　邮政编码 100011）
印　　装：中煤（北京）印务有限公司
710mm×1000mm　1/16　印张 7　字数 70 千字　2025 年 10 月北京第 1 版第 1 次印刷

购书咨询：010-64518888　　售后服务：010-64518899
网　　址：http://www.cip.com.cn
凡购买本书，如有缺损质量问题，本社销售中心负责调换。

定　　价：58.00 元

“改变世界的中国科技力量”丛书编委会

《新能源技术》编写人员

主　　笔　张　憬

主　　编　奚　瑶　李嘉琪　曹文思

参编人员　李瑞婷　腰正君　高　航

序·言

科技是国家强盛之基，创新是民族进步之魂。从新中国成立初期的科技奠基，到如今在全球科技舞台上崭露头角并成为具有重要影响力的科技大国，中国科技事业的每一步跨越，都凝聚着几代科研工作者的心血与智慧。为了让青少年真正读懂中国科技的发展脉络，感受创新背后的力量，激发他们对科学的热爱与探索热情，中国科学技术馆精心策划并编写了这套“改变世界的中国科技力量”科普丛书。

这套书是一扇“动态生长”的科技窗口——它不设固定的内容边界，将始终紧跟中国科技的创新步伐，把每一个新领域的突破、每一项新技术的成熟，及时纳入其中。无论是已聚焦的卫星导航、载人航天等领域的标志性成果，还是未来将解锁的更多前沿方向，我们都希望通过“讲清科技原理”与“展现实践价值”的结合，让青少年走近科技：从北斗导航如何为全球提供精准定位服务，到蛟龙号深潜深海时克服的技术难题；从生物医药攻关如何守护大众健康，到新能源技术怎样推动绿色发展转型……这些内容不仅源于中国科技的真实实践，更试图连接青少年的学习与生活，让他们明白科技不是遥远的“专业术语”，而是能切实改变世界、改善生活的创造力。

为了让这份“科技对话”更有温度、更具深度，我们联合了各领域的权威专家与资深科普工作者：专家团队以严谨的学科素养把控内容的科学性，确保每一个知识点都经得起推敲；科普工作者则用启发式的语言、生动写实的插图，打破“纸上谈兵”的局限，让晦涩的前沿知识变得可感可知。同时，我们还为这套书的难点内容配套了讲解视频，以二维码链接的形式呈现在书中，读者扫码即可“走进”科技馆，直观感受科技的神奇，进一步加深对知识的理解与记忆。我们始终相信，科普不该是静态的知识传递，而应是互动式的探索引导，策划这套书的初心，便是为青少年搭建这样一个“可触摸、可思考”的科技平台。

我们期待，这套书能成为青少年了解中国科技创新的桥梁：当他们读到科研工作者攻坚克难的故事时，能感受到自立自强的精神力量；当他们理解某项技术如何从设想变为现实时，能激发探索未知的好奇心。或许今天，他们是在书中解锁科技知识的读者；未来，他们会成为投身科技实践、为中国科技添砖加瓦的创造者。

最后，衷心感谢每一位参与丛书编写的专家与科普工作者——是你们的专业与用心，让这份“科技邀约”得以落地；也感谢化学工业出版社的鼎力支持，让这套书能顺利与读者见面。

现在，不妨翻开书页，一起走进中国科技的世界，见证那些改变世界的中国科技力量，也期待大家与我们一同迎接更多未来的科技惊喜。

中国科学技术馆

CHINA SCIENCE AND TECHNOLOGY MUSEUM

前·言

在21世纪，“全球变暖”已成为我们耳熟能详的词语。几十年来，温室效应及其引发的环境问题持续引发热议。煤炭、石油等传统能源的过度使用导致二氧化碳排放激增，地球如同被罩在一个无形的玻璃罩中，热量难以散逸，气温持续攀升。

有人或许会问：一个更温暖的世界有何不好？寒冷地区的人们不是一直期盼更温暖的气候吗？然而，地球并非简单的温室花房，而是一个精密的生态系统。全球变暖带来的不仅是温度上升，更会引发一系列连锁反应：极地冰川融化、海平面上升、极端天气频发、生物多样性锐减。这些变化正在重塑我们熟悉的世界。

问题的根源在于传统能源。煤炭、石油不仅加剧温室效应，还存在资源有限、污染严重等弊端。寻找清洁、可持续的新能源已成为当务之急。这不是一个新课题，但直到近年，新能源才真正走进大众视野。每一种新能源从理论到应用，都需要经历漫长的研发历程，凝聚着无数科研人员的心血。

本书将带你系统了解新能源的世界。我们将从能源危机谈起，探讨可持续发展目标，认识中国“双碳”目标的意义。随后，你将结识新能源家族的各位成员：太阳能技术日新月异，光伏板从笨重低效变得轻薄高效；风电技术不断创新，风机不仅矗立在旷野，更向海洋、高空和城市拓展；核电安全性能持续提升，第四代技术让清洁核能更可靠。此外，潮汐能、地热能、生物质能和氢能等新兴能源也展现出巨大潜力。

新能源的发展需要智慧的组合。单一能源难以满足全部需求，但通过优势互补，就能构建更完善的能源体系。在过渡时期，我们需要建立智能电网，协调传统能源与新能源的协同供应。

我国在新能源领域取得了举世瞩目的成就。从光伏产业到风电技术，从核电自主创新到氢能研发，我国正从跟随者转变为引领者。这些成就不仅为国家发展注入动力，也为全球能源转型贡献中国智慧。

新能源代表着人类文明的未来。工业革命以来，能源革命持续推动社会进步。我们既不能以牺牲环境为代价追求发展，也不应因环保而放弃现代文明。找到发展与保护的平衡点，正是新能源技术的使命。

这场能源变革仍在继续。前方的道路或许还有挑战，但人类创新的脚步从未停歇。让我们携手探索，共同迎接更清洁、更美好的能源未来。

目·录

O2

新能源有多“新”？

提到能量，你会想到什么呢？美食里的能量，炉灶中的暖意，还是手机里的电量？

我们生活的方方面面都离不开能量。除了和动物一样从食物中获得能量，保证有力气蹦蹦跳跳，人类还要借助各种消耗能量的工具，过上文明便捷的生活。和其他生命不一样，人类对能量的需求是巨大的。

正因如此，能源，也就是能量之源，对文明社会的运转至关重要。多年以来，人类在传统能源的支持下发展了科技，改变了生活方式。但繁荣之下却隐藏着巨大的问题，那就是——能源危机。

旧能源还能用多久？

能源危机是什么？最直白的解释就是，能源不够用了。

具体来说，能源危机意味着我们不再有充足的电和燃料，在家不能随心所欲地使用电器和电子设备，出门在外不能方便地乘车、乘船、乘飞机。不仅如此，工厂和写字楼可能也要被迫停工，没办法正常地制造产品和开展工作。

那么，为什么会有能源危机呢？要说清这个问题，就不得不提到能源的一个类别：传统能源。

传统能源，又叫常规能源，指的是我们足够了解、熟练使用的能源。目前为止，人类社会依靠的主要能源是常规能源中的煤炭和石油。它们曾经帮助我们进入工业飞速发展的时期，让机器和大工厂代替牲口和小作坊，让商场货架上出现琳琅满目的商品。它们是如此了不起，甚至被称为“黑色黄金”和“工业之血”。

还有哪些传统能源？

除了煤炭和石油，天然气和水能也属于传统能源。

天然气属于清洁燃料，燃烧时二氧化碳排放量少，可惜它和煤炭、石油一样，是不可再生的化石能源。

使用水能不会直接制造有害物质，但水能并不是有水就能用的，还需要满足多方面的条件。另外，水能的开发也要格外小心，不然水电站的建设也会影响当地的生态。

总而言之，天然气和水能的开发利用受到很多条件限制局限，很难靠它们来有效解决能源问题。

但是，立下过巨大功劳的煤炭和石油却有几个不可忽视的缺点。首先，它们都是化石能源，要经过非常漫长的时光才能形成，这意味着它们几乎没办法一边使用一边补充，而是用一点就少一点，用完了就没有了。

虽然不同的计算方法可能得出不同的数字，但是谈到全球储量，即便是按照比较乐观的情况估计，地球上已知的剩余煤炭也只够我们再使用一两百年。石油的情况更糟，我们目前找到的资源可能支持不了人类一百年的消耗。

更可怕的是，大规模使用石油和煤炭还会破坏环境。煤炭在燃烧时会释放有害气体，还总有挥之不去的细小粉尘。石油可以用来制造很多产品，最重要的应用之一是让燃油汽车跑起来。然而燃油汽车尾气成分复杂，其中含有一氧化碳、氮氧化合物，甚至还有铅这种重金属。

不仅如此，这些过程还会大量排放二氧化碳，加剧温室效应。

因为过度依赖传统能源，全球碳排放量一直居高不下，全球变暖带来的问题也越发明显。冰川消融，海平面升高，气候异常，许多动植物正在失去栖息地，一些小岛和沿海地区也面临着被淹没的风险。

也正是因为使用的能源不够清洁环保，一提到“工业”和“城市”，许多人都会想到灰蒙蒙的天和令人不愉快的热气。当然，随着时代的发展，使用传统能源的正规工厂也有了严格的排放规定，会尽量减少污染，但从长远角度看，一直使用煤炭和石油依然后患无穷。

新能源从哪里来？

为了应对危机，摆脱对煤炭和石油的依赖，我们需要给能源更新换代，找到不同于传统能源的新能源。

这当然不是一件容易的事，但我们可以求助于科学。事实上，能量是无处不在的，温度的变化、空气的流动、物质发生的反应，一切都和能量有关。而我们要做的，就是找到能量之河的汲水站，用正确的方式开源。

关于这一点，百年间的探索记录提供了线索。在传统能源备受追捧、势不可挡的年代，已经有一些科学家和工程师开始探索能源开发的新方案，而且积累了宝贵的经验。新能源中较为成熟的

太阳能、风能和核能最初崭露头角都是在 20 世纪。只是在早期应用阶段，由于技术水平和开发方案的限制，这些能源不够安全和实惠，很难让大多数人接受它们。

不过，科技和人一样，都是可以成长的。在几十年的研究和完善之后，太阳能电池有了冲击高效率的希望，核电站经过了安全升级，风力发电开始释放潜力。太阳能和风能可再生、无污染。核能能够用很少的燃料释放令人惊叹的巨大能量。这三种能源被寄予厚望，可以说是新能源中的领队者。

与此同时，人们也没有放弃其他方案。生活在现在的科学家、工程师和前辈们一样，不会只进入眼看就要成功的领域，而是会挖掘更多可能。所以，新能源的家族中还有氢能、潮汐能、地热能、生物质能这些不够成熟，但充满希望的成员。它们蕴藏着巨大的潜力，同样有可能在未来成为充足、无污染的“能量补给站”。

能源印记

从传统能源的利用到新能源的开发，对能源的不断探索也促进了社会的发展进步，可以说人类社会的发展史也是一部能源发展史。

"能源印记"展品（位于中国科技馆主展厅四层"挑战与未来"C厅）通过互动投影的方式展示了人类在"柴薪时代""煤炭时代""油气时代""新能源时代"利用能源的场景。在"柴薪时代"，人类结束了茹毛饮血的日子，开始在生活中利用火，学会了围火取暖、烤制食物等。到了"煤炭时代"，由于煤炭热值高、分布广，人们用煤炭代替柴薪，不仅将其应用到生活中，还大规模推广到工业领域，催生了汽船、蒸汽机车和蒸汽动力织布机的出现，带动了铁路运输、钢铁工业和军事工业的发展，大大促进了世界工业化进程。进入"油气时代"后，石油因其具有更高热值、更易运输、更低污染等特点，迅速进入生产生活的各个领域。而随着传统能源的日渐短缺，以及环境问题日益严重，人们开始探索开发新型能源，风能、太阳能、核能等新型能源相继出现，"新能源时代"席卷而来。

你了解新能源家族的可持续发展使命吗？

多年以来，能源危机和气候问题一直是全世界人民都关注的大事。为了让大家积极应对、落实责任，联合国画出了一条“红线”，明确提出要限制碳排放总量、避免温室效应酿成恶果。按照计划，参考工业革命前的水平，全球平均升温应该控制在 1.5 ~ 2 摄氏度。从目前的情况来看，这意味着到 2030 年，全球每年碳排放量必须比 2019 年下降 28% 到 42%。

这是一项艰巨的任务，而新能源家族就是我们实现目标的希望。所以，联合国的可持续发展目标中也提到，要“确保人人获得负担得起的、可靠和可持续的现代能源”。

中国是联合国的常任理事国，也是非常重视环保和新能源发展的国家。我们力争在 2030 年前实现碳达峰，从此以后每年二氧化

地球发烧了

地球是人类赖以生存的家园，生态环境中的每一个细小变化都与人类息息相关。然而随着全球社会经济高速发展，温室效应不断加剧，导致这颗美丽的星球频频升温。

“地球发烧了”展品（位于中国科技馆主展厅四层“挑战与未来”D 厅）设置有五个手柄，分别代表工业排放、森林砍伐、尾气排放、畜牧养殖以及火力发电，推动手柄，通过投影可以演示不同人类活动对生态环境的影响。例如，尾气排放超量时，可以看到随着公路上的燃油车辆不断增多，道路逐渐拥挤不堪，天空也变得灰蒙蒙，人们在享受汽车带来的便利的同时，不得不承受汽车释放出包括二氧化碳在内的大量温室气体。同样，工业生产和火力发电所使用的煤炭、石油、天然气等化石能源，都会产生大量的温室气体，而如果起到固碳作用的树木被乱砍滥伐后，森林净化空气的能力会不断减弱，最终也会造成大气含碳量不断攀升。除此之外，“畜牧养殖”也会造成全球变暖，牲畜在打嗝、排泄等过程中会放出大量的甲烷，这种气体对全球变暖的影响甚至要比二氧化碳强几十倍。

随着全球气候变暖，许多危害也接踵而来，比如冰川融化、海平面上升、生态系统破坏等。如果任由事态发展，人类生存也将面临严峻的挑战。

碳排放量不再攀升，在 2060 年实现碳中和，通过各种措施让二氧化碳的排放和吸收达到平衡。这就是了不起的“双碳”目标，也是新能源在中国要完成的使命。

中国的科学家和工程师在新能源项目上投入了大量心血。从新型太阳能电池到第四代核电站，从优化风电机性能到干净又便宜地制造氢燃料，我们在新能源的许多领域都有了引人瞩目的成就。

在接下来的内容里，我们就来详细讲一讲新能源家族的成员们分别有什么本领，也看一看它们在中国的发展和创新。

新能源中的“大哥”是谁？

如果把新能源家族看成是一群兄弟姐妹，那么太阳能就是它们中资历深厚的大哥了。

作为离我们最近的恒星，太阳就像无时无刻不在燃烧的火球。它把充足的光和热洒向地球，让植物生长，让动物取暖，也促成了水的循环和空气的流动。如果说我们本身就生活在能量的水流中，那么太阳就相当于能量大江的源头。

要是能从阳光中尽情取用能量，人类就掌握了和恒星寿命一样长久的能源。这当然是一个非常有吸引力的想法，所以人们很早就开始了针对太阳能的探索。到了今天，这项探索已经有了很多成果，当初的美好设想也离我们越来越近了。

亲密的新能源家族

太阳能之所以是新能源中的大哥，一个重要的原因是，它对弟弟妹妹影响颇深。换句话说，在其他新能源身上，你总能看到太阳能的影子。

阳光照射会让空气流动，而空气流动关乎风能。太阳和月亮一同影响了海水的运动，产生了潮汐能。太阳能的来源是核聚变，这正是人们正在研究的核能开发新方式。生物生长过程内化了太阳的能量，我们把这部分能量再取出来，就是在开发生物质能。太阳作为恒星很可能影响了地球的形成，而地球早期聚集的热能是地热能的来源之一。氢能来自宇宙中最轻也最古老的元素，它正是太阳最主要的成分。

如何“捕捉”阳光中的能量？

要怎么做才能“捕捉”到阳光中的能量呢？有两种主要的方法。

第一种是“集热”，就是从阳光中获得大量的热能，用来烧水、烹饪，甚至推动发电设备运转。也许你会好奇，多数情况下，阳光虽然温暖，但还达不到滚烫的程度，从阳光中获得的热能真的有可能代替炉灶吗？

答案是肯定的，当然我们需要借助专用的集热/聚光设备，比如太阳能热水器使用的真空管，还有太阳能灶使用的凹面镜。

第二种方法更有名也更受期待，它叫作光电转换，也就是直接用阳光产生电能。

早在19世纪，就有科学家发现，有些材料能够展现奇特的性质，在正确连接测量装置的情况下，人们可以测到它们经光照产生的

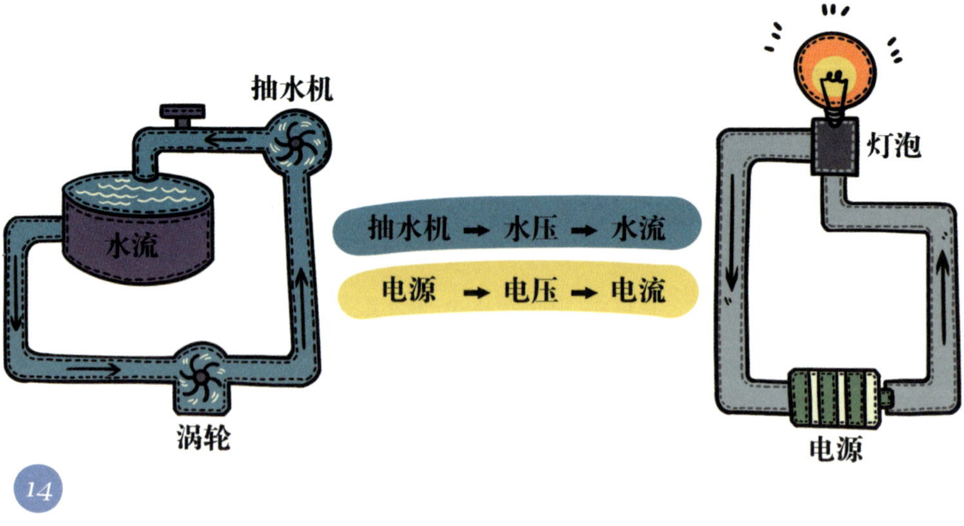

电压。如果我们把电流看作是水流，那么电压可以粗略地类比为地势差，平地上的一潭死水没有活力，但如果地势不平，水就会从高处向低处流动。也就是说，电压的出现意味着我们可以从这种现象中获得电流，给各种各样的机器设备提供能量。

不过，当时的人们还不够了解光和电，所以直到 20 世纪 50 年代，才有科学先驱根据这个原理制作出了还算好用、有望成为商品的太阳能电池。你一定也见过这种与众不同的设备，它常常有着较深的颜色，表面好像还挺光滑。

有趣的是，从诞生到现在，太阳能电池在外形上似乎没有特别明显的变化，但技术却已经更新换代。几十年来，不同类型的太阳能电池纷纷出现，综合实力也有了巨大的提升。

看上去差不多的太阳能电池，竟然这么不一样？

20 世纪 50 年代，第一款现代太阳能电池（光伏电池）诞生，采用的是晶硅材料，它的转化效率只有 5% 上下，但在当时已经是非常了不起的高科技了。

有了这样的起点，晶硅类型的太阳能电池便成了人们重点开发和改进的对象。到了今天，晶硅太阳能电池的最高效率已经超过

25%，和当初一比可以说是脱胎换骨了。即便是在“后辈”各显神通的现在，单晶硅太阳能电池依然备受重视，但它的缺点也很明显，就是价格比较贵，对普通家庭来说不够划算。

从这里我们能看出发展太阳能电池技术有两个最重要的挑战。第一是提高光电转化效率，即便是以高效率著称的单晶硅太阳能电池，转化效率也很有限。这可不是个小问题。要知道，获取的电能不变，转化效率越低，我们需要购买的太阳能电池就越多。这又引出了第二个挑战，太阳能设备的制造成本还不够低，它必须变得更实惠，才能为千家万户服务。

为了解决这两个问题，太阳能领域的科技工作者进行了许多尝试，新型太阳能电池也在他们的思考中一个个诞生。

很快，薄膜太阳能电池出现了。这种太阳能电池材料多样，有望简化生产过程，让价格更加便宜。遗憾的是转化效率谈不上高。但薄膜太阳能电池另有优势，比如轻薄灵活，可以安装在更多地方。而且，在弱光条件下，薄膜太阳能电池的工作状态往往比晶硅太阳能电池要好。

如果让更新、更有趣的技术和材料加入进来，一起制作太阳能电池，会有什么新惊喜呢？在这样的思路下，量子点光伏电池、钙钛矿光伏电池等新兴太阳能电池出现了。量子点的引入有希望让光电转化效率提升到 50% 以上，钙钛矿电池更是将薄膜太阳能电池全面升级，也许很快就能发展出同时具备高效、实惠、灵巧三大优点的新产品。新技术继续“进化”，我们也许会在不久的将来看到完全改头换面的太阳能电池，它们也许会变得更剔透，拥有更漂亮的颜色，甚至可以随心所欲地折叠弯曲。

以各式各样的太阳能电池为基础，人们实践了许多应用，从应用中得出的经验不仅帮助我们完善了技术，还让科学家和工程师获得了新的灵感。

为了更好地利用太阳能，人类还找来了哪些小帮手？

再高级的核心部件都要为用途服务，太阳能电池也不例外。怎么样才能让太阳能电池更好用呢？我们需要从实际出发，给负责光电转换的部分配上各司其职的“小帮手”。

前面提到，太阳能板的表面看上去很光滑，这当然是有原因的。在负责把光转换成电的电池片上方，常常会加上一层特制的玻璃盖板。它充当了保护者，隔开了空气和水分，阻挡了外力冲击，让电池片免受伤害。与此同时，玻璃盖板还要具备良好的透光性能，让太阳能电池有一个不错的工作状态。

说到工作状态，有一种直截了当的方法可以让太阳能电池“捕获”更多阳光。你能猜到是什么吗？没错，就是把它转起来，不断对准太阳。在航天领域，我们国家的问天实验舱就配备了可旋转的太阳翼，在不能随时充电的太空为航天设备尽可能多地获取太阳能。民用领域的太阳能电池也有类似的设计，有的人还把太阳能设备制造成了可以转动的花朵形状，也算是名副其实的人造向日葵了。

太阳能电池还需要什么帮助呢？天气不会日日晴朗，但我们每天都要用电，所以储能也是太阳能电池发展不可忽略的要点。阳

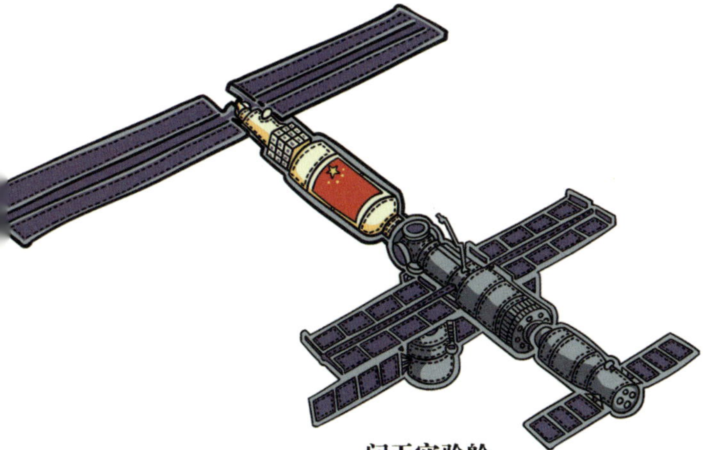

问天实验舱

光伏太阳花
（可移动、可调节的光伏储能系统）

光灿烂的时候多转化一些电能，存在特定的单元里，等到天公不作美了，我们还能把准备好的“积蓄”拿出来用。

虽然听上去很简单，但能量既要存得住，又要取得出，还得灵活管理，把一切安排好需要考虑到方方面面。充当能量池的锂电池、转换电流的逆变器常常是必不可少的，统一管理很多太阳能电池的时候，工作人员还需要借助专门的系统。总之，光储方案在一定程度上决定了太阳能的应用能够走多远。我们期待这方面的技术和理念继续进步，早日和新兴太阳能电池强强联合。

如今，太阳能电池早已不是稀罕之物，它不仅是航天器的“标配”，也时常出现在路灯和小型实用设备上。捕捉太阳能的技术已经进入了人们的生活，正在稳定地发展进步，为我们获得更多来自恒星的能量。

光伏板的“进化”

光伏发电是将光能直接转化为电能的一种技术，这种技术的关键在于光伏板的光电转化效率。光伏板的主要工作原理是光电效应，当太阳光照射到光伏板核心部分的半导体材料上时，光子将能量传递给电子，使得电子从原子中脱离出来，形成自由电子和空穴，并分别聚集在半导体材料的两端，形成了电压差。可以看出，光电效应是光伏板能量转换的关键，而在光电效应中，光子能量的大小与半导体材料的情况直接相关。

“光伏板的‘进化’”展品（位于中国科技馆主展厅四层“挑战与未来”C厅）展示了三种不同材质的光伏板，分别是非晶硅太阳能光伏板、多晶硅太阳能光伏板、单晶硅太阳能光伏板，通过对比三种光伏板发电效率可以了解到：非晶硅太阳能光伏板光电转化效率约为10%，多晶硅太阳能光伏板光电转化效率约为14% ~ 18%，而单晶硅太阳能光伏板光电转化效率可达25%以上。

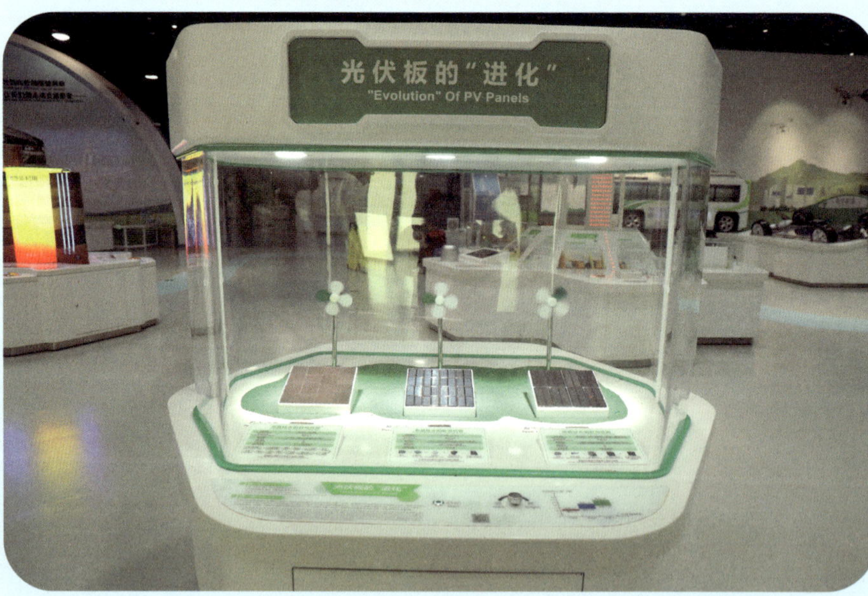

太阳有太阳能，
月亮有没有
月亮能？

认识了了不起的太阳能之后，你也许会产生这样的疑问——对地球上的我们来说，日月都是最重要的天体，既然太阳有太阳能，那么月亮有没有月亮能呢？

太阳是火热耀眼的恒星，月亮是寒冷静谧的卫星，它并不能发光，只是时常反射太阳的光芒。不过，千万不要觉得月亮对我们的影响很小，地球上的潮涨潮落就离不开月亮的作用。值得一提的是，潮汐现象刚好可以用来开发另一种新能源——潮汐能。

所以，当你再次看到银月当空的时候，一定要记得，为新能源出力的天体不只有温暖的太阳，还有这颗地球的守护星——美丽的月亮。

遥远的天体是怎样隔空“弄潮”的？

潮汐，指的是海水有规律涨落的现象。在海边生活的人很容易观察到，大海一般会在固定的时间段淹没更多海岸，过一阵子又自行后退，似乎有一股无形而巨大的力量在摇晃海水、弄潮玩耍。

那么真的有这样的力量吗？有的。引起潮汐现象的力量关乎天体运动，地日之间、地月之间的引力都是它的重要来源。而潮汐能之所以会被戏称为月亮能，就是因为月亮在其中的作用更加明显。尽管太阳质量更大，但月亮和地球的距离更近，经过综合计算，月亮对潮汐的影响比太阳的两倍还要多。

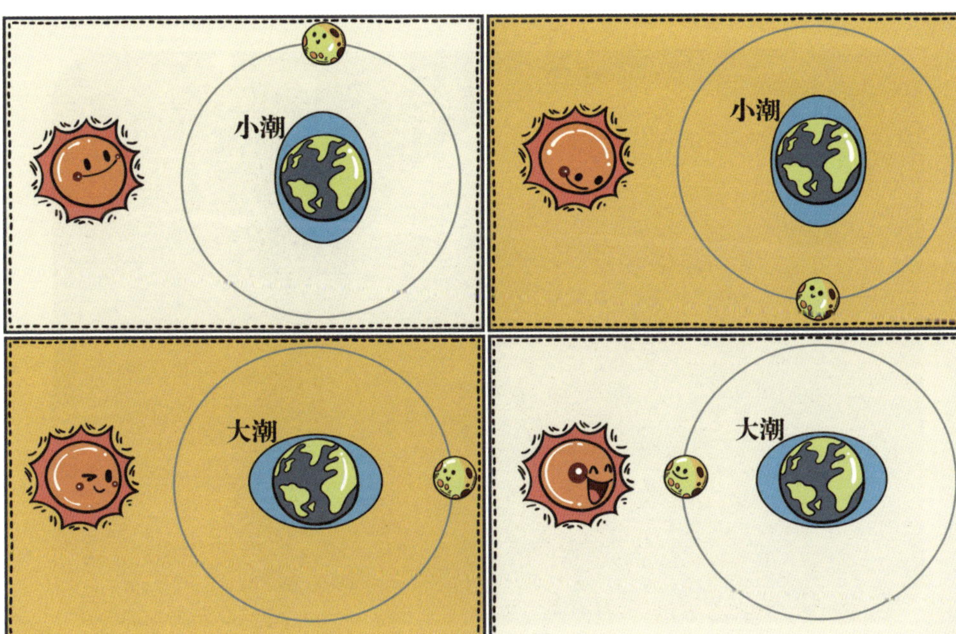

月相

我国关于月亮盈亏与潮汐两者之间关系的记载，最早可以追溯至东汉王充的《论衡》中：“涛之起也，随月盛衰，大小满损不齐同。”而所谓月亮盛衰，其实就是当月亮环绕地球旋转时，地球、月亮、太阳之间的相对位置不断变化，导致人们看到的月亮被照亮的部位不断地变化造成的，这种变化的月亮形象也称为月相。

“月相”展品（位于中国科技馆主展厅二层“探索与发现”A 厅）采用半封闭式的组合空间，营造了一个观看月相变化全过程的场景。通过观察月相变化可以发现，当首度见到月亮明亮的部分时，太阳、月亮、地球几乎成一条直线排列，称之为新月；每当农历十五、十六时，月亮刚好旋转到地球和太阳之间，可以看到整个被太阳直射的月亮部分，就像一个圆盘，这就是满月。新月和满月时期，太阳和月亮引起潮汐叠加，形成大潮。而当人们看到弦月，也就是朝向地球的月亮有一半被照亮时，意味着此时地月连线和日月连线正好成直角，太阳和月亮对地球潮汐的影响互相抵消了一部分，此时被称为小潮。

除了日月造成的影响之外，海水摩擦、海底地形等许多其他因素也会影响潮水涨落，因此发生大潮的日期常常会推迟 2 ~ 3 日。

更有趣的是，海潮大小往往和人们观察到的月相存在联系。比如新月和满月时期会出现大潮，上下弦月时期会出现小潮。当然，月亮并没有真的变圆或变弯，月相的变化反映的是月亮、太阳和地球之间相对位置的变化。新月和满月时，三个天体大致处在一条线上，而上下弦月时期，月亮转到了侧边，它的作用和太阳的作用会有所抵消。

潮水汹涌来去，蕴含着巨大的能量，如果可以推动发电设备，这些能量就能够为我们人类服务了。而且，潮汐是有规律的，我们可以在大流量到来前做好准备，不必时常为无法预测的情况担心。再加上清洁无污染、充沛可再生，潮汐能作为一种新能源，完全符合我们的要求和期待。

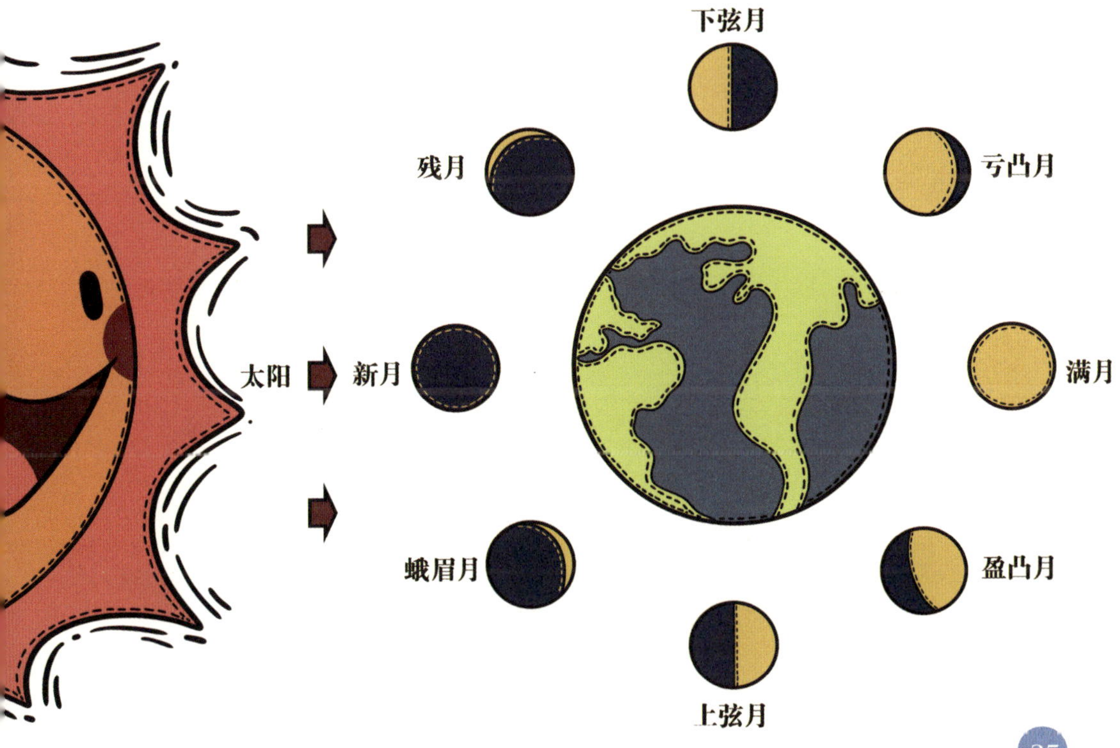

从海上修坝到海底转轮，潮汐发电有什么好办法？

潮汐发电，是我们从潮汐中获取能量的重要方式，原理并不复杂，无非是让蕴含“潮能力”的海水推动发电装置运转。当然，科学原理的应用总是会遇到一些实际的问题，所以从 20 世纪到现在，人们一直在摸索潮汐发电的更优方案。

潮水也是水，我们已经有了不少开发普通水能的经验，是不是可以用在潮汐能上呢？沿着这样的思路，人们建设了潮汐坝。在潮差大的地方建设水库，利用堤坝两边的水位差来推动发电机组。

事实证明，作为一种发电方案，潮汐坝是可行的，而且在全球范围内有比较成功的例子。但是这么多年过去，潮汐坝在全世界的发展似乎不温不火，因为它也有明显的短板，比

转起来，就能发电了！

无论是否使用潮汐坝，潮汐发电都需要潮水推动“转轮”。这些转轮也许有着不同的外观，但它们都连接着磁生电设备，后者依靠的是电磁感应原理。潮水推动转轮转动，转轮就会带动后续装置运动起来，完成发电。

这种设备并不是潮汐发电特有的。在火电站里，人们用烧煤获得的热能制造蒸汽，再用蒸汽去推动转轮，完成发电，所以火电站里的这种装置被称作“汽轮机”。同样先释放热能再完成发电的，还有核发电和生物质燃料发电。而风力发电则和潮汐能发电一样，可以直接“转”出电能。

如海上大坝也好，江河大坝也好，都有可能影响当地生态，再比如修建和维护这样大的工程，实在需要太多资金。

为了让潮汐能的开发更实惠、对环境更友好，人们想到一种比较灵巧的方式，就是借鉴风能发电的方法，在海底安插类似风车的机组，让潮水直接转动叶片、带动发电。当然，也可以按照科学的方式给这些机组排列队形，让它们能够更好地输出电能。

围绕这个想法，人们设计出了多种各不相同的“海底转轮”，

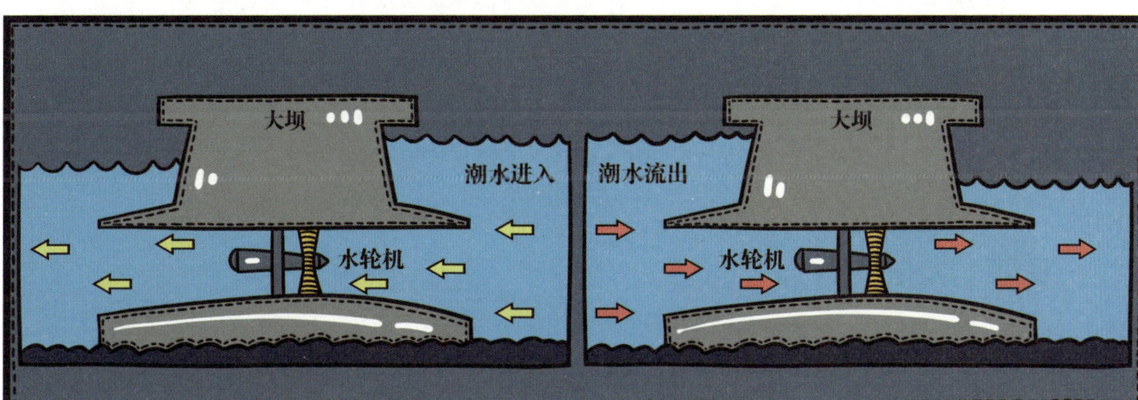

一边努力提高发电量，一边也在完善各种细节。比如，设备发出的噪声可能会打扰海洋生物的正常生活。但一味追求安静也是不行的，因为噪声的存在起到了警告和提醒的作用，可以避免小动物误闯“刀林”，被叶片割伤。如何拿捏这个“度”，也是技术人员需要认真思考的事情。

我们什么时候能用上来自海潮的能量？

从早期实践到现在，潮汐能的开发经历了很长的摸索过程。虽然发展速度不算特别快，发电量不是特别多，但潮汐发电已经不是“纸上谈兵”。也就是说，你也许已经用上了来自海潮的能量。

第一个潮汐发电项目诞生于20世纪10年代，主要任务是试一试、看一看、想一想，为潮汐能的现代开发探一探路。20世纪60年代，第一座具有商业规模的潮汐电站出现。在一些地方，来自海潮的能量已经顺利进入电网，缓解了碳排放问题。不仅如此，在水上安家的新能源开发站还能凭借独特的风景吸引游客前来观光，为当地增加旅游收入。

我们国家也加入了潮汐能的探索之旅。从1985年发展到现在，我们的江厦潮汐试验电站年平均发电量达到了720万千瓦时。中国的科技工作者也在研究和尝试更新的潮汐能开发方式，包括无坝潮汐发电，还有海洋能的综合应用。

那么未来，还能找到更好的潮汐能开发方式吗？很有可能。科学家们正在尝试把潮汐发电装置设计得更容易拆装，或者可以移动。有的新式的小型装置就像在水流中飞行的小飞机。那么发电能力呢？新设计的目标之一就是，哪怕潮水并不湍急，也能从中收取能量。除此之外，安全保障也不能落下，既要妥善应对海上的天气变化，又要避免撞上海洋动物。这些创新设备有的已经开始试用，也许很快就会给我们带来新的惊喜。

在科学家和工程师们的努力下，潮汐能一定会迎来蓬勃发展的阶段。到那时，清洁可再生的“月亮能”就会像海上的潮水一样，不断涌入电网，支持更多人的日常生活。

江厦潮汐试验电站

来去无踪的风里也有**能量**吗？

在各式各样的新能源里，风能是既平常又特别的存在。说它平常，是因为大家都认识发电用的大风车。说它特别，则是因为风在天上来去无踪，看不到、关不住、不放光、不发热，相比可以利用的其他能源，似乎更像一个虚空中的精灵。

我们该怎么理解风中的能量呢？对比刚刚介绍过的潮汐能，潮起潮落是水在流动，风来风去则是空气在流动，能量就在这些过程中来来去去。而我们要做的，就是用合适的方法把它们“拦截”下来。

当然，风能的原理、开发和应用也有自己的特点。在降伏风精灵的过程中，科技工作者也有了新的灵感。

为什么风不会有吹尽的时候？

风，是自然界中一种非常常见的现象。白天夜晚，春夏秋冬，我们在任何时候都有可能遇到风。有些地方的风吹得格外频繁、格外猛烈，于是人们想到用风车从风中借力，获取其中的能量。

不过，风能真的不会有用完的时候吗？我们提到过，风的存在意味着空气在流动，但空气为什么一定要不断流动呢？或者说，如果未来某一天，空气的流动全都变得极为缓慢，吹不动高高大大的风车了，我们是不是就没办法继续利用风能了？

真的不必担心。空气并不会无缘无故地动起来，太阳照射带来的温度不均就是空气流动的原因。热空气喜欢膨胀上升，冷空气则会溜下来填补空缺。更重要的是，此刻更热的空气也许等一会儿就会被冷却，此刻更冷的空气可能一转眼就会被加热。在变化之中，空气循环流动，风也就吹向了我们。

昼夜温差、四季轮回，日照和天气是不断变化的，我们身边的空气会在不同的情境下或是舒缓而行，或是纵情奔跑。可以说，

只要太阳不消失，地球上就会有大大小小、各不相同的风。所以，风能也是一种可以持续开发，不必担心枯竭的新能源。而且风能属于清洁能源，风电场在运营上没有排放问题，也算是绿色能源中的代表了。

水平轴式、垂直轴式，你知道不同的大风车有什么区别吗？

讲到风能开发，那就不得不说说大风车了。在建造大风车方面，我们的经验还是很丰富的，在很久很久以前，人们就开始利用大风车获取风的力量，用来磨面、提水了。当然，现代的大风车和“老前辈们”还是很不一样的，它们的主要工作是发电，所以更具体地说，我们如今用在风能开发上的大风车应该和背后的发电设备合称为风力发电机。

虽然在很多人的印象中，大风车不过是小风车的超级放大版，但真实情况是，为了更好地利用风能，人们设计了不止一种风力发电机，下面我们来看看其中比较重要的几种。

我们最熟悉的风力发电机采用的是水平转轴，扇叶是在竖直平面内转动的。我们之所以看它最眼熟，当然是因为它应用广泛。用得多，技术自然就比较成熟。但水平轴风力发电机也有明显的不足。比如需要“转头”，毕竟风的方向是不定的，水平轴风力发电机的“脑袋”总要跟着风转。再比如不好排队，竖着转的时候，扇叶后方的尾流很容易影响附近的其他风力发电机组，所以水平轴风力发电机必须互相隔开一段很长的距离，这就让整个风电场变得更占空间，更不好管理。

如果把转轴换成垂直的，让扇叶横着转，能不能弥补这些不足呢？这样一来，“转头”这一步确实省了，排队难的问题也得到了缓解，还可以把负责转换电能的部件安排在地面上，维护起来更加方便。但这种设计在使用中实际上是有些“吃力”的，这就导致整个设备的发电效率偏低。为了解决这个问题，人们设计了

很多不同的扇叶，所以我们现在能够看到造型各异的垂直轴风力发电机。

在它们之中，有一种外观格外独特，就像一个超大号的打蛋器，这就是达里厄风力发电机。虽然看起来有点好笑，但达里厄风力发电机的实力并不弱。它在垂直轴风力发电机中风能利用系数最高。而且它噪声污染小，不容易打扰附近居民；转速低，不容易误伤鸟类，这些在水平轴风力发电机面前都是不小的优势。在进入 21 世纪之后，很多人开始重新关注垂直轴风力发电机，而达里厄风力发电机作为其中的代表，当然也受到了重视。

那么这些风力发电机之间到底有没有分出高下呢？只能说，目前来看，还是水平轴风力发电机综合实力更强，但在下一个阶段，“超级打蛋器”未必不会有新的表现。或者我们也可以换一个思路，也许不同的风力发电机刚好适合不同的场景。

曾经，我们认为，只有开阔的郊野才适合安排风力发电设施。毕竟，城市里建筑林立，障碍物多，空间紧张，海上和高空则缺乏平台支撑，风再大也没有意义。但这些观念已经过时，现在的风能开发设备完全可以走出开阔地，进入新的领域。

正如我们前面提到的，达里厄风力发电机噪声小、

转速低，还有较高的风能利用系数，这意味着它可以和高楼大厦结合起来，而不会影响人们的生活和工作。一些城市已经做出了这方面的尝试，把风力发电装置融入高层建筑，在繁华都市的上空收集风能。

海上风能发电更是不得不提的“大热门”。海风充足强劲，把风电站安排在海上，还可以节省土地资源。随着建设水平的提高，现在人们已经可以在海上修建结实的平台，支持风力发电设备的运转。曾经，固定式的平台需要在海底插入钢材，在近浅海应用，现在，浮式平台让大型设备有了在海上“漂而不游”的能力。就在2023年，我们国家的第一座深远海浮式风电平台“海油观澜号”已经上线，在远离海岸线100多公里、水深超过100米的海上开始了风电之旅！

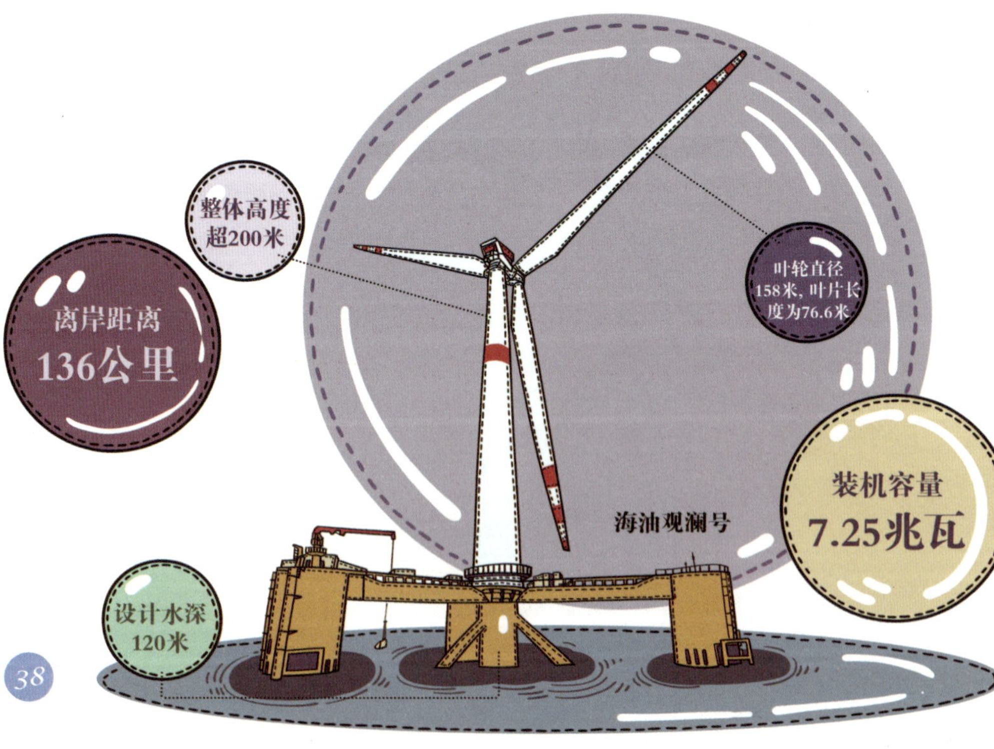

走进科技馆

风电安家

风能取之不尽，用之不竭，对于资源短缺或交通不便的沿海岛屿、山区或高原地带等，因地制宜地发展风力发电似乎收益更高。但风能同样也是一种不稳定、不可控的能源，对自然环境要求极高，那什么样的位置才适合采用风力发电呢?

“风电安家”展品（位于中国科技馆主展厅四层“挑战与未来”C厅）是一个具有不同地形区域的沙盘，有山顶、山腰、山谷、盆地、平地和海洋。每一种地形都有插孔，只有选择了合适的位置插入风车，才能够点亮沙盘模型。山顶海拔较高，风能资源丰富，对风速的抬升作用明显，我国浙江临海括苍山风电场，就位于浙江东南第一高峰括苍山山顶；山腰相对平缓开阔，能够提供便利的建设条件，是理想的风电场建设场地，我国贵州毕节纳雍大滥坝风电场就位于毕节山区的山腰上；山谷通常是气流流经的通道，风速分布相对平均，破坏性风速和不可利用风速时数少，我国新疆达坂城风力发电厂就位于中天山和东天山之间的山谷；平地植被低矮，建筑物稀少，气流通畅，内蒙古辉腾锡勒风电场就建设于此类区域；海洋风能储量巨大，障碍物稀少，利于气流运动，上海东海大桥风电场就属于海面风电场，但海洋地区可能遭遇较为严重的气象灾害，风速如果超出风电机的限制，也会导致事故发生，因此如果选择海洋作为风电场则需要经过严格的测算；盆地风力资源较少，无法满足年均风速以及年有效风力时数的要求，且障碍物多，气流通道受阻，不太适合建立风电场。

那么高空呢？我们难道要把平台也修到天上去吗？这倒不用。有一个更聪明的办法，就是把风能开发设备做成特殊的风筝，放到天上去。相比海上风力发电，高空风力发电技术还不够成熟，但目前也有了可以讨论可行性的方案，科学技术人员正在进行实验和分析。高空中蕴含的风能是比地面大许多倍的，如果能实现突破，我们也许可以用更小的设备，获得更多的能量！

总之，在我们生活的年代，风能发电的方案非常丰富，后面我们会看到，风能发电还可以搭配其他新能源，创造更好的效果。不过现在，关于风能自身的介绍即将结束，我们要把目光转向新能源中一个更为奇特的成员。

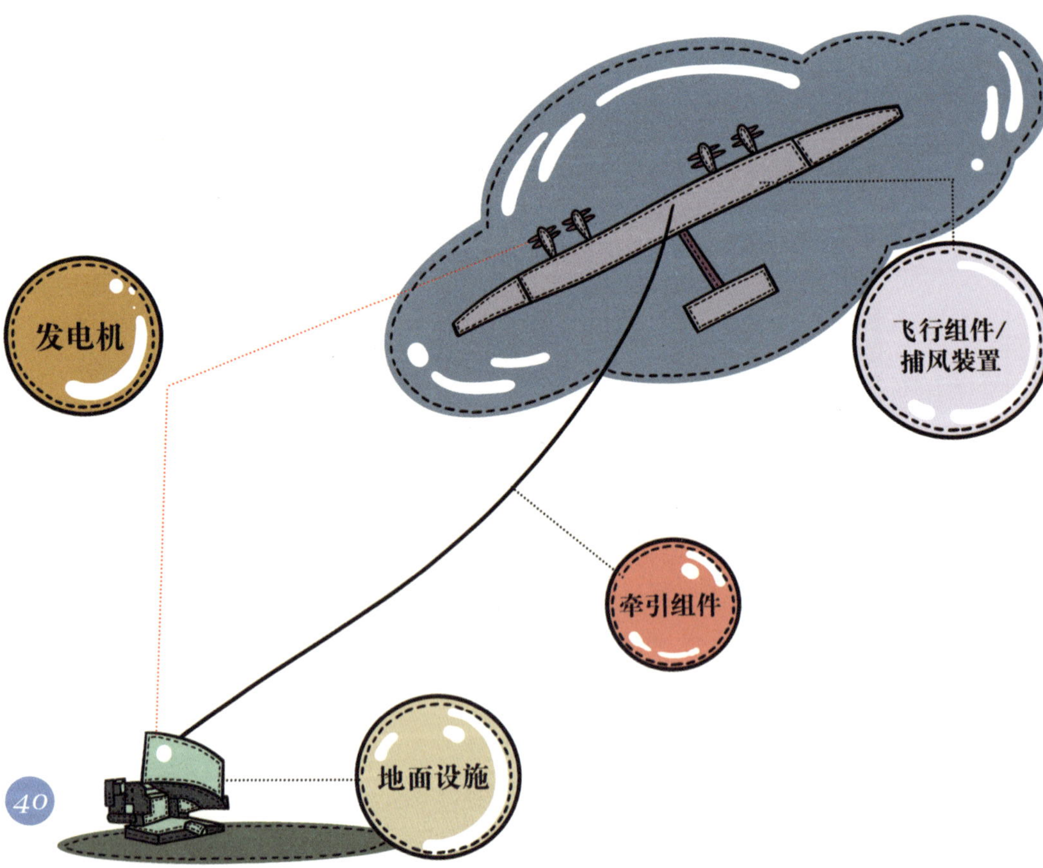

最大的
能量宝库
竟然藏在看不见
的小东西里?

说起新能源家族中“爆发力”最强的成员，核能要是排第二，大概没有谁敢认领第一了。核能可以从非常少的燃料中迸发巨大的能量，这座能量宝库是如此迷人，尽管曾经出现过极为可怕的事故，但人们依然马不停蹄地建设了一座又一座核电站，下定决心要掌控它。

更让人不可思议的是核能的来源，它是原子核反应释放的能量，来自小得看不见的微粒。你或许也好奇过，这些微观粒子之

间到底发生了什么，它们把能量宝库藏在了哪里？

还有，核电站的安全问题真的解决了吗？核废料该怎么处理？另外，在核能开发方面，我们还能期待更先进的方法吗？

原子的能量宝库藏在哪里？

我们先来简单了解一下原子。原子是构成物质的微粒，它的内部有一个小小的原子核，里面装着更小的“零件”——质子和中子。其中，质子决定了一个原子的编号，也就是它属于哪一种元素。同一种元素的原子，质子数一定是一样的，中子数可能会不同。

无论是核裂变还是核聚变，核反应的关键在于原子核中的质子和中子重新组队，形成新的元素。如果你觉得这样的过程听上去就像重新搭积木，好像没有太过特别的地方，那么请注意，还有更为奇妙的变化在微粒积木的重组中悄然发生——它们的总质量比反应前小了。

与此同时，核反应会释放出能量。在这里，质量和能量的关系符合爱因斯坦提出的质能方程：$E=mc^2$。其中 E 代表能量，m 代表质量，c 代表光速，光跑得有多快大家都有直接的感受，所以哪

怕质量变化不大，乘以光速的平方，也能得出相当多的能量。

虽然这样那样的过程总会涉及能量的流动，但我们并不能随手抓一个反应，就理直气壮地问质量要能量。因此，核反应是很特别的，它格外适用于能源开发方案。

而核能开发，就是要让核反应在人们可以掌控的情况下进行。这意味着反应不能太过剧烈。我们都知道，核武器的原理也是核反应，当核燃料肆无忌惮、尽情狂欢的时候，我们期待的能量之河会变成能量的超级海啸，不仅没有益处，反倒会制造灾难。但是从另一个角度讲，我们依然希望反应堆里的原子核能一个接一个地拆开重组，而不是刚消耗了一点点核燃料，就停下来不动了。

核能开发有哪些保障安全的法宝？

不能太剧烈，也不能太温吞，核反应要按照人们的需要进行，才能保证核能的安全开发。除此之外，核电站的运转还会产生核废料，其中不乏带有很强放射性的物质，一旦处理不好就会害周围居民疾病缠身，生命安全遭到威胁，如果进一步扩散，还会制造更大的麻烦。

因为存在这些问题，核能在很长的一段时间里一直是有争议的。在核能开发的历史上，人类也是经历过核泄漏事故的，当年的惨痛记忆让许多人谈核色变，认为这种能源开发起来实在是有些得不偿失。

不过，科技工作者们并不想直接放弃，他们更想吸取经验教训，通过完善设备和流程来建设安全无害的核电站。现在的主

核反应和反应堆

核反应也有不同的种类，我们现在主要利用的是核裂变反应。核聚变反应释放的能量更多，但可控核聚变的实现难度更大，现在还在研究阶段。核聚变也是太阳发光发热的原理，所以常有人说，一旦可控核聚变实现，我们就能拥有人造小太阳了。

在核电站里，容纳核反应的设备叫作反应堆，有许多不同的类型。目前正在运行的核电站中，最常见的反应堆是轻水堆，用普通的水调节反应，也用普通的水从反应堆带走热量，用于后续发电。

流核电站已经有了一系列保证安全、稳定运行的法宝，包括防止核泄漏的四道屏障，反应堆的第一、第二回路设计，紧急停堆措施，还有核废料的严格处理流程。

可以说，在设备完好、操作规范的前提下，我们已经可以保证核电站的安全运转了。但比较棘手的是，很多核废料难以在短期处理中变成无害物质，暂时只能集中封存。不过，封存之地也经过了重重考核，可以在很长的时间内保证核废料不跑出来害人。

当然，如果核电站能具备万无一失的容错系统，即便有些设备失灵，有些工作人员失误，也不会出现反应堆熔毁、放射性物质泄漏的情况，那就更好了。如果有更多的核废料直接变废为宝，那就真的能让大家放心了。事实上，这就是科学家和工程师们的新目标。

你知道这些新型反应堆的“绝活”吗？

目前我们有哪些进一步升级的新型核反应堆呢？

首先要提到的，就是号称“不会熔毁”的高温气冷堆。人们给核燃料包上耐高温层，制成含石墨的燃料球，能够提供强有力的安全支持，有效防止放射性物质泄漏。整个反应堆还可以在不停堆的情况下更换燃料球，免去了集中换燃料的麻烦和问题。

接下来要介绍的快中子反应堆，则是在回收上发挥优势。目前多数核电站采用的核燃料是铀 -235，但送入反应堆的燃料中还会包含大量的铀 -238。等到反应结束，该拿剩下的铀 -238 怎么办就成了一个问题。快中子反应堆刚好能把铀 -238 利用起来，避免了浪费。

还有一种新型反应堆，堆芯结构简洁，废料危害较小，可以实现小个头大输出，所以有希望打造成小型核“心脏”，为船只、潜艇供能。这就是钍基熔盐反应堆。它采用了不同于传统铀-235的核燃料，用到的熔盐就算流出来也很容易凝固，后续隐患比较小。

上面提到的这些就是新一代核技术中被寄予厚望的几种反应堆，它们之中有的已经用于核电站。如果我们把这些反应堆和早期反应堆对比一下，就会看到在不到100年的时间里，核能开发已经有了翻天覆地的变化。核电站和核电设备的发展也得到了越来越多的支持。

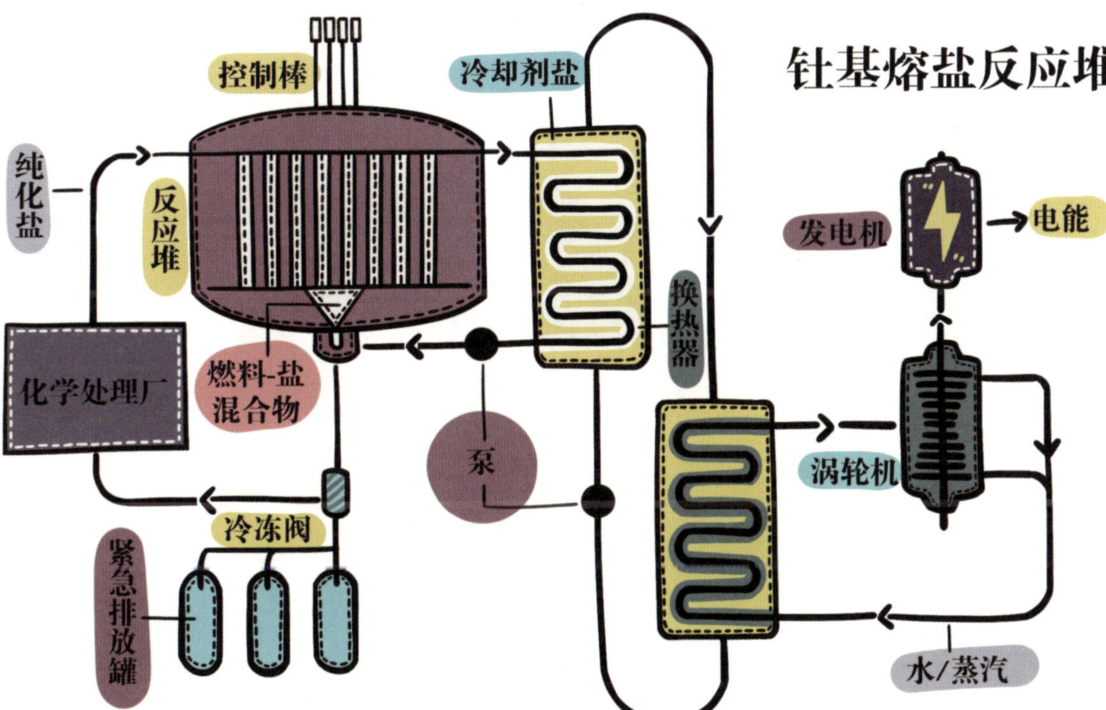

现在，核能是被寄予厚望的新能源，而核发电技术从令人担忧到走向成熟的过程也给人类上了重要的一课。面对危险，退缩总是容易的，但有些难题值得我们大胆思考、小心解决。

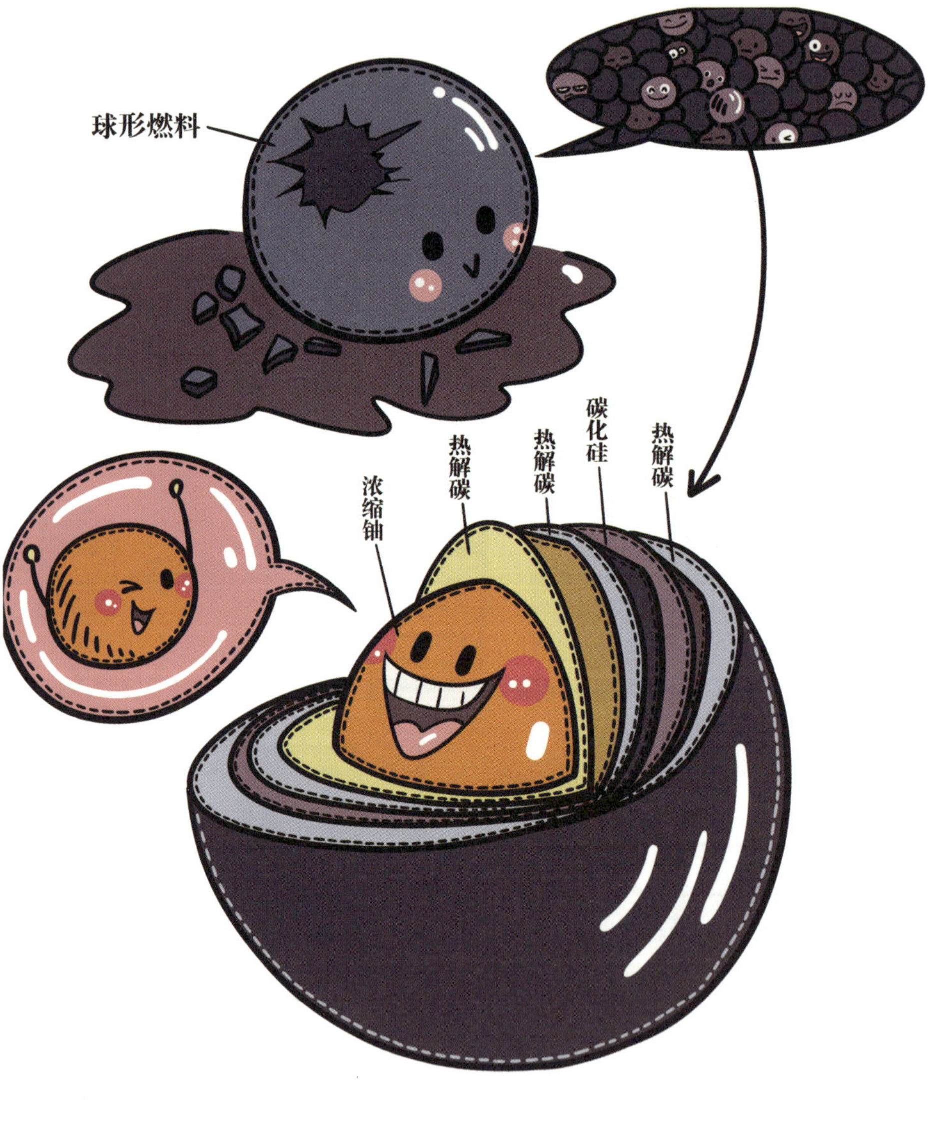

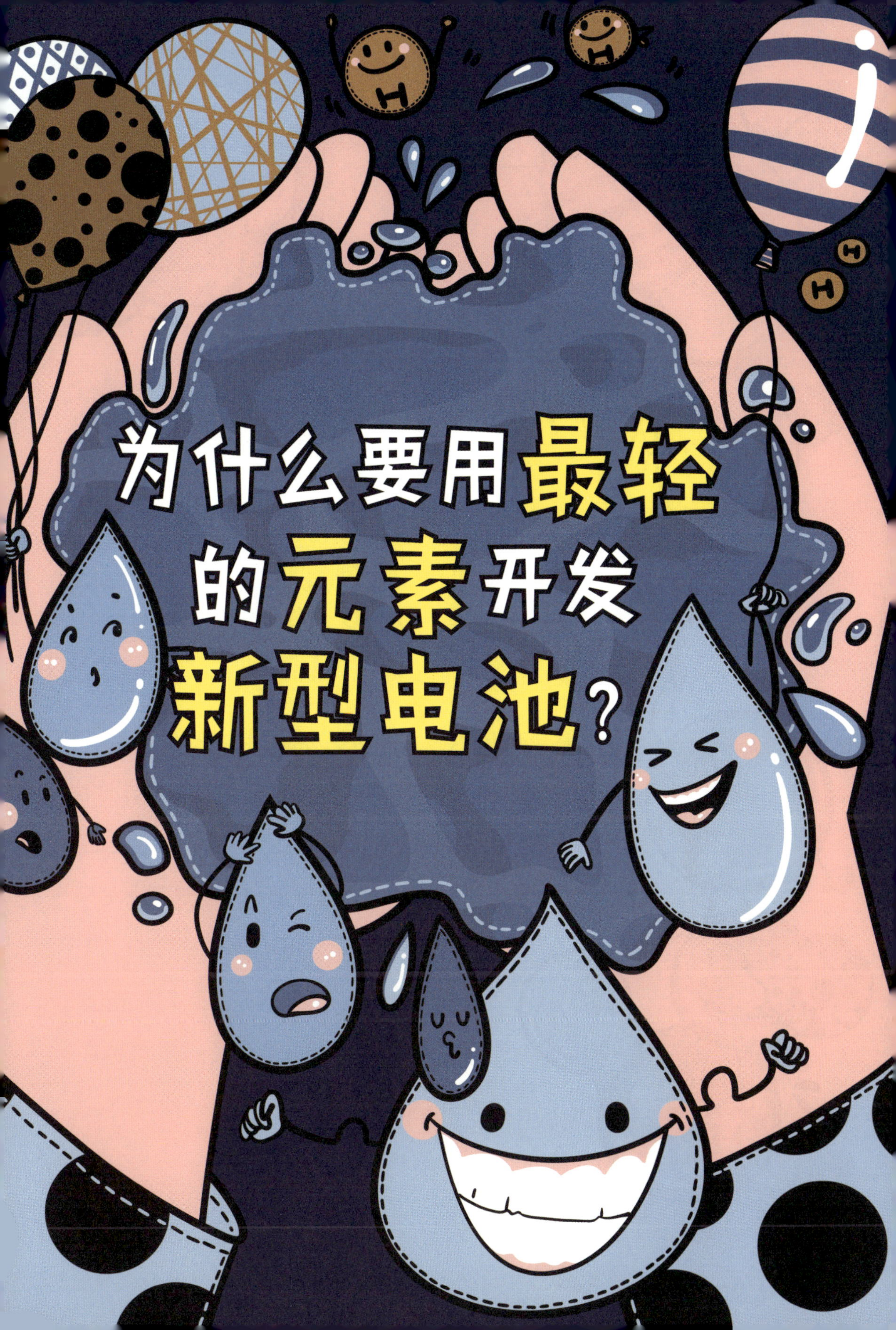
为什么要用最轻的元素开发新型电池？

我们刚才提到，原子核中质子数决定了元素的种类，不仅如此，质子数还常常关系到元素的轻重。翻开元素周期表，左上角的 1 号元素原子核中只有一个质子，它就是最轻的氢元素。

这样的元素可以用来做什么呢？我们最熟悉的应用大概是氢气球。氢气格外轻盈，很适合让气球高高地飘起来。还有一类应用人们经常听说，却不一定了解其中的细节，那就是把氢作为一种能源来开发，比如制作氢燃料电池。

作为新能源，氢的优势非常明显，但它的开发难度之大同样明显。好在经过几十年的研究，与氢能相关的技术实现了几项重要的突破，正在从美好的概念，变成同样美好的现实。

轻飘飘的氢是怎样成为清洁能源之星的？

人类对氢能的关注由来已久，就连听上去很时髦的“氢经济”从最早提出至今也已经过去了几十年。而氢能之所以赢得了这么多期待和畅想，是因为它燃料充足、使用清洁，而且可以贡献相当多的能量。

先说燃料充足。氢是世界上存在最多的元素，不说别的，就说占据地表大部分面积的茫茫大海，其中充满了水分子，而每个水分子又包含两个氢原子。这就已经可以看作是氢燃料的超大存储池了。

接下来是使用时的优势。用来供能的时候，我们让氢气和氧气发生反应，这个过程释放的能量相当之多，可以轻松打败化石燃料。而且，反应完成之后，只会生成普普通通的水，不会有乱七八糟的排放物，不必担心破坏环境。

因为有这些优势，氢能的开发利用一旦成熟，就可以为能源问题的解决提供巨大的支持。但这方面的技术发展经历过不少坎坷，甚至在很长一段时间里，氢能开发听上去更像一种口号，而不像一个实打实的计划。

好在困境不是永久的，随着几项技术的突破，氢能的开发利用离我们越来越近，氢能成了 21 世纪最有潜力的新能源。

氢能技术即将突破哪些重要的“关卡”？

氢能的开发应用有哪些难点呢？

虽然自然界到处都有氢元素，但它们大多会和别的元素组队，而我们真正需要的是只包含一种元素的氢分子，所以我们要先完成氢的制备。这一步就谈不上容易。

制好了氢，存储和运输也存在难题。在常温常压下，氢分子是轻飘飘的气体，一点点质量就要占据很大的空间，而且氢气很容易燃烧和爆炸，运输过程可能充满危险。

通过了前面的考验，到了实际使用的时候，还有一个供能方式

的问题。氢分子要怎样和氧分子反应并释放能量呢？至少在电池中，不能让氢直接着火吧？

其实如果只谈能不能做到，这些都不是问题。电解海水就可以制氢，用化石能源也可以制氢，降温加压可以让氢分子们挤一挤，特制容器可以满足运输要求，不见火光，借助催化剂也可以完成反应。但从前的方案在成本和能耗上无法让人满意，也就是说，为了使用氢能源，我们也许不仅要花很多钱，同时还要消耗非清洁能源。总体一算，氢能也没有那么环保了。

好在近些年，这些问题有了完全解决的希望。采用物理力学过程和电化学反应相结合的思路，中国科学家提出了用海水制氢的低成本环保方案，而且已经在海上进行了实践尝试，可以把制氢成本降低到 1 立方米不到 5 角钱。

那么氢的存储和运输呢？我们无法改变氢分子的性质，但我们可以换一个角度看问题。对于一时半会儿用不上的氢，我们不必要求它们维持原样，而是可以将它们融入更适合放置和运输的物质，在需要的时候再让它们还原。随之而来的是有机液态储氢和固态储氢方案，这些方案的进一步发展，让氢储运难题的解决看到了希望。

当然，还有氢燃料的使用问题。以往，氢燃料电池中推进反应的催化剂要用到铂，虽然功能靠谱，但铂实在是太贵了，如果我

们一直依赖这样的催化剂，氢燃料电池就没办法变便宜。多年以来，科学家们一直在尝试降低铂在催化剂中的“存在感”。近些年，一种新的催化剂横空出世，以铁、碳、氮这些更普通的物质为材料。在为进一步应用进行的实验中，新催化剂也交出了不错的成绩单。

好消息越来越多，这意味着氢能正在走向我们的生活。

氢能怎么用？

那么氢能的具体用法有哪些呢？比如，我们现在有没有可以直接使用氢燃料电池的设备呢？

当然有。氢燃料电池目前是交通领域的新秀，从私家车到公交车，从轨道列车到飞机，很多交通工具都在尝试通过多使用氢能

来节能减排。

在 2022 年举办冬奥会的时候，北京已经运行过 1000 多辆氢能源汽车，还配备了 30 多个加氢站点。在冬奥会结束之后，工作人员总结了宝贵的经验，继续发展氢能。现在，氢能源公交已经成了北京大兴的一道风景线。京津冀地区也在现有高速路网的基础上，开始建设为氢燃料电池车服务的站点，给未来使用氢能源车打下基础。

除了让车子跑起来，氢燃料电池还可以为日常生活供电。国外已经有小型社区进行了这样的尝试，每家安排一组柜子大小的氢燃料电池，配合太阳能板和配套的储能设备，就可以让小家庭实

现低碳运转。在建设未来的绿色建筑时，人们也会多多考虑氢能的用处，探索更多可能。

也许你觉得前面提到的应用离发展壮大还太远，但从另一个角度看，氢能其实已经进入了我们每个人的生活。事实上，氢气目前是工业领域非常重要的原料。举例来说，氢气可以用来生产氨，而氨是一种用途非常广泛的物质，可以用来生产化肥、染料、炸药、合成纤维，也可以用来处理大规模集成电路，

还可以在食品行业作碱性剂、酵母养料。

也就是说，氢能开发中的环保制氢，不仅仅是为了给设备提供燃料，也是为了让已经发展起来的工厂少一些排放问题，多一些绿色保障。随着理念和技术的进步，人们将氢分成了灰氢、蓝氢和绿氢。全世界都在积极探索绿氢生产，而我们中国计划在 2025 年实现年产 10 万至 20 万吨绿色氢气，让我们的工厂逐渐洗刷掉灰氢的痕迹，换上绿氢的朝气。

总之，从现在到未来，从日常生活到出行，我们会越来越需要氢，越来越重视氢的清洁生产和使用。大家对氢能在下一个十年的发展充满了信心，期待它破茧成蝶，创造新能源的新奇迹。

灰氢、蓝氢和绿氢

按照生产的方式，氢气被分成了灰氢、蓝氢和绿氢。灰氢来自化石能源，蓝氢的生产在灰氢的基础上减少了一定的碳排放，而绿氢是完全零碳排放的产品，我们希望在未来，绿氢能全面替代灰氢和蓝氢。

生物能源是怎么一回事？
变"废"为宝
就是我们存在
的意义！！！

在新能源家族中，有的成员已经成为明星，有的即将登上更广阔的舞台，但还有几位大家还不熟悉。比如生物质能，听到它的名字，有些人可能会心生疑惑——生物也可以是能源吗？

当然可以，因为生命也承载着能量。植物有光合作用，动物则要进食，自然界的生命都会用自己的方式获得能量，维持日常活动。一般来说，生物并不会把体内的能量用得一干二净，新陈代谢、生死交替留下的有机垃圾里面，就包含了没有用尽的能量。

把这些能量取出来加以利用，就是生物质能的研究重点。

什么？这些脏东西都可以当能源？

毫不夸张地说，生物质能技术是变废为宝的技术。很多人眼中脏兮兮的粪土、没有经济价值的秸秆、用剩下的碎木头，都可以变成环保燃料，用来发电、取暖、烹饪。

生物质能的具体用法多种多样。比较直截了当的方式是从原料中直接选择和收集合适的燃料，通过专门的焚烧设备发电。更进一步的方式则要用原料生产更成熟的产品。在这个过程中，人们会用到各式各样的工艺，还常常会请一群特殊的朋友帮忙，它们就是微生物。

没错，我们需要的就是那群肉眼看不见的小生命。它们虽然很小很小，却可以承担极为重要的责任。

我们都知道，在人类居住的地方，垃圾常常要被运走集中处理，否则长期堆积的脏东西会变得臭气熏天。然而在野外，动植物

垃圾分类的意义

我们在日常生活中丢弃的一部分垃圾也有希望成为生物质资源，比如从家养植物上修剪下来的枝叶，做菜的时候丢弃的动物内脏，还有蛋壳、茶渣、小骨头，等等，它们一般属于厨余垃圾。

为了方便后续的回收利用，我们要养成将垃圾分类的好习惯。

并没有专门处理粪便、枯枝败叶甚至尸体的“站点”，但它们的栖息地并不会变得一团糟。这是因为大自然有自己的垃圾处理团队，其中一部分重要成员就是肉眼看不见的微生物。它们可以把

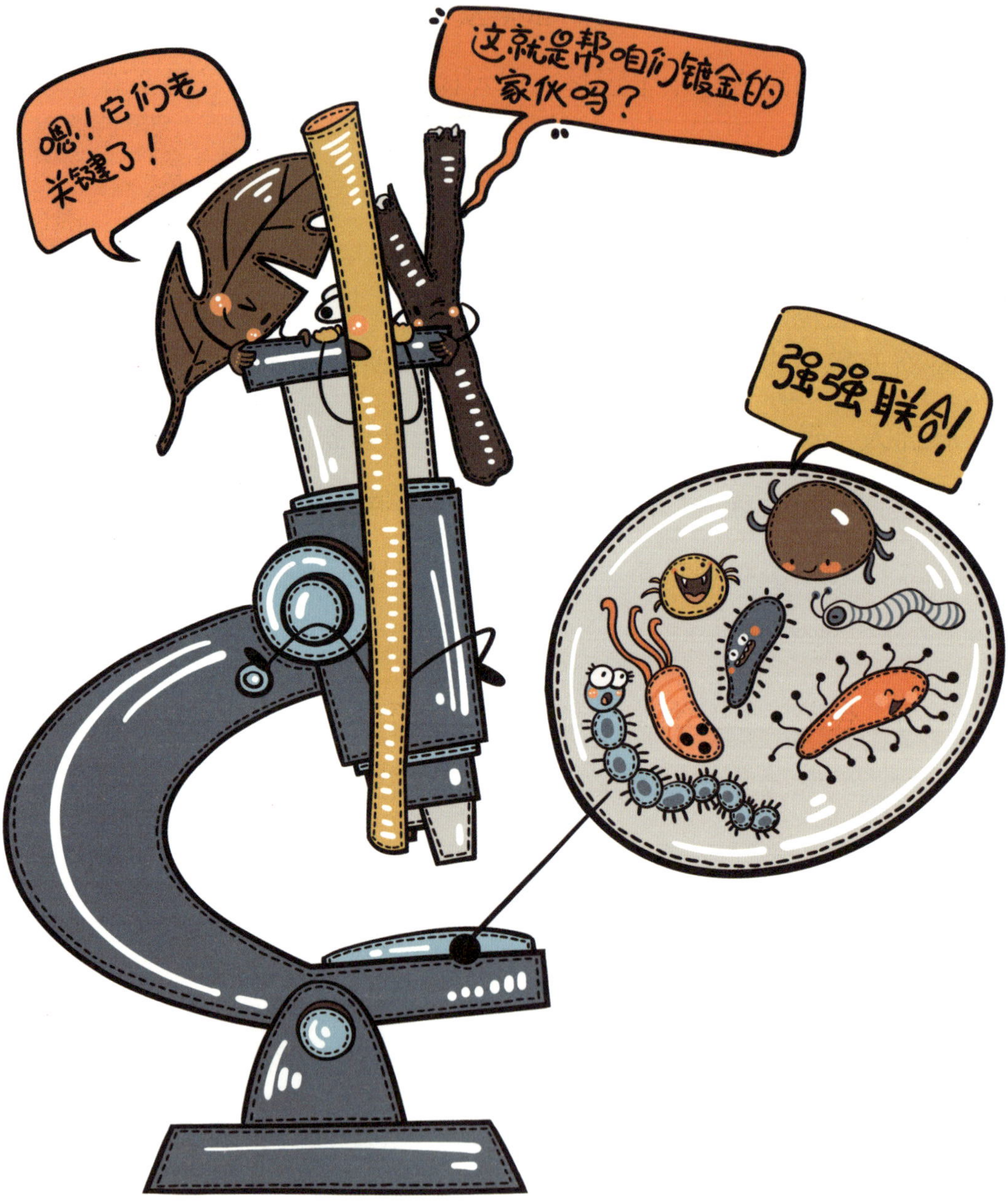

有机垃圾分解掉，同时制造出另一些物质，其中刚好就有我们用得上的燃料。

正是这些肉眼看不见的朋友给了我们巨大的启发。在开发生物质能的过程中，我们可以把这个自然的过程搬到人造设备里，让特定种类的微生物帮我们制造出需要的物质，再搞定后续工作，完成有机垃圾到生物质能产品的转变。

为什么说生物质能是全能型新能源？

除了能够变废为宝，生物质能还有一个很大的优点：它是全能型选手。

在开发生物质能的过程中，我们可以获得很多不同的产品，包括沼气、燃料乙醇、生物柴油、生物汽油、生物炭等。这样看来，生物质和被誉为“工业之血”的石油有些相似，蕴藏着丰富的可能。

那么这些产品会用在哪里呢？有多种生物质燃料可以用来发电和取暖。为了提高能源效率，人们想到了热电联产的办法，把发电和发热的设备拼接在一起，让生物质燃料一次干两份活。另一个比较常见的用法就是进入炉灶，帮大家做饭烧水。除了这些之外，燃料乙醇、生物汽油和生物柴油还可以支持交通工具的运转。燃料产品还不是全部，有机垃圾还可以用于开发生物肥料和防虫液。

生物质能的“全能”还体现在它的“省心”上。从有机垃圾到生物质能产品，存储和运输大多比较方便，不需要为设计专用储运设备大费周章。另外，生物质能的使用不需要看“老天爷”的脸色，只要能及时有效地收集合适的垃圾，我们就能自己做好计划，安排好后续的生产和使用。

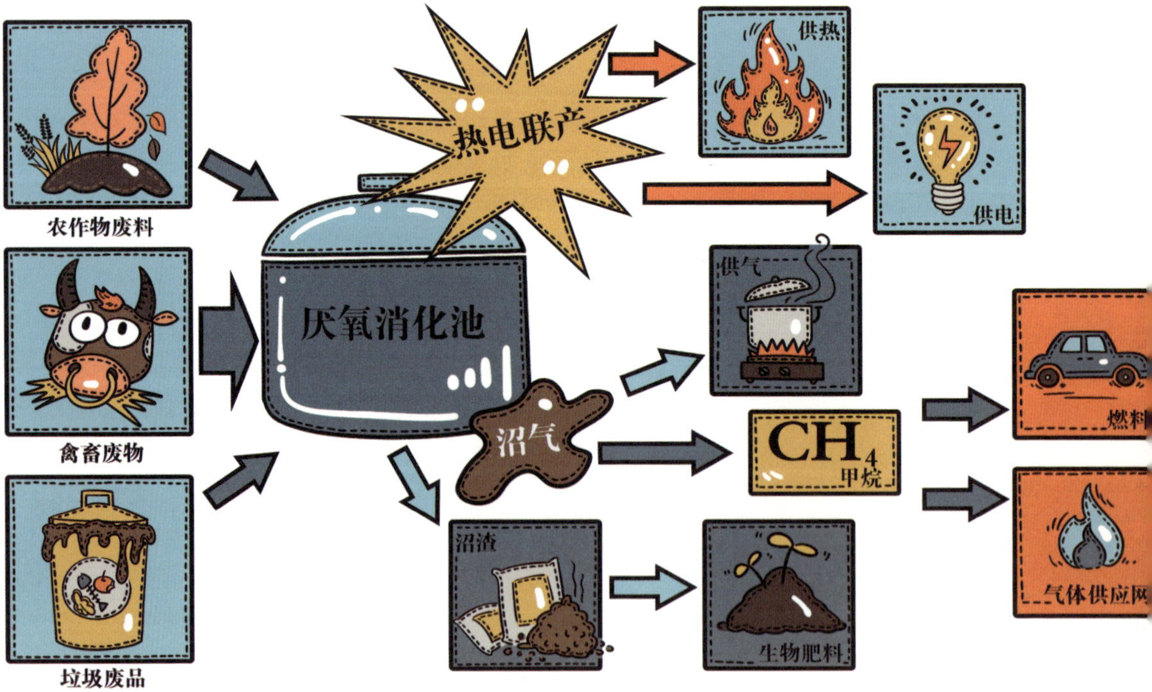

那么每年会产生多少可能适合生物质能开发的垃圾呢？以我国近些年数据为例，农作物秸秆年产量约为 8.7 亿吨，畜禽粪污年产生量约 30.5 亿吨，截至 2023 年底，林业剩余物产量大约有 3.8 亿吨……这些庞大的数字背后，就是生物质能作为能源的巨大潜力。

你知道生物质能最受期待的应用场景吗？

每年大量产生的农业和林业废料可以为生产生物质能提供源源不断的原料，所以生物质能在乡村和林场的应用最受大家期待。

按照以往的做法，在收获之后，农田里剩下的秸秆常常会被就地一堆，直接烧掉。大量秸秆全部用这种方法来处理，其实是相当浪费的，而且焚烧冒出的烟雾会污染环境，增加大气负担，有时火势控制不好，还容易一烧一大片，引起严重的火灾。

但在生物能源开发中，秸秆却是一种重要的原料，可用于制造燃料、开发可降解纸制品，还可用于生产肥料、饲料和基料。如果好好利用，秸秆不仅能够帮助解决农村的用电和供暖问题，还可以助力养殖和其他产业。养殖业又能收集家禽家畜的粪便，这同样是一种有价值的生物质能。在广阔的农村地区，生物质能的原料非常丰富，在合理的安排下，它们都能发挥本领，让乡村的景色更加美丽，也让乡亲们过得更好。

林场则是另一个生物质能格外丰富的地方。这里提到的林业、林场和我们常说的森林并不完全一样。人类需要木材资源，但进入森林随意砍伐的方式太过落后，所以我们要培育、维护、管理自己的树林，在满足木材使用需求的同时补充绿色资源，实现环保上的平衡。而且，园林风景和城市绿化用到的树木，也常常需要林场提供。

在管理和维护林场的过程中，人们总会清理枯叶、修剪树枝、

移除不适合继续种植的树木，这些不要的枝叶就可以投入生物质能开发。不仅如此，成材的树木在被加工成家具和工艺品的时候，也会产生很多形状不规则的木块和木屑。把它们收集起来进行加工，可以让林场多上架一批绿色产品，长期来看会让林场发展得更好。

当然，生物质能的现代应用还需要解决不少问题，比如，如何有效地收集原料？能不能实现大规模集中发电供暖？还有最重要的，虽然原料只是垃圾，但生物质能开发加工的过程并不简单，还需要很多资金支持。不过，生物质能目前面对的很多问题，新能源家族更成熟、更成功的成员们也遇到过，从以往的经验看，我们不妨相信未来。

还有一种
新能源就在
我们脚下，你知
道它是什么吗？

从风到浪，从太阳到原子核，新能源常常突破人们的想象。就算看过了这么多各不相同的新能源，你也不一定能猜到这一章的主角是谁。

我们不常感受到它，但它就在我们脚下。有时候它很暴躁，会引发自然灾害，有时候又很温柔，乐于为旅游度假的人们提供服务。从某种意义上讲，它和地球一样古老，但我们在很长一段时间里并不知道它的来源。

它就是地热能，来自地下的天然热能，也是让火山喷发，让温泉涌动的力量。现在，我们渴望更好地掌握这种热能，开发新的应用。

地下的热能来自哪里？

平静的地面上为什么会竖起火山、冒出温泉呢？或者，换一个问法，它们在哪里接通了高温，获得了这么多热能？这些问题和地球的“内馅”有关。在表面的平静之下，地球内部藏着一个巨大的热库。你可以这样想象，就在地球正常运转的同时，它的肚子里还有一个滚烫的火球也在转动。地下极深处的高温之惊人，可以与太阳的温度放在一起比较。

深藏地下的热能有很多来源。最早要追溯到地球形成之初，我们居住的行星曾经遍布岩浆，地表在后续的冷却中凝固，很多没有来得及散失的热能则留在了地下。除了早期“储蓄”，地热还有新的“入账”，包括内部放射性元素衰变产生的热，还有地下化学反应释放的热，等等。

来源不同的热共同组成了丰富的地下热能。我们每往地下行进 100 米，平均温度就会升高大约 3 摄氏度。地下 200 米内可以找到不高于 25 摄氏度的浅层地热能，再往深处探寻，止步于地下 3000 米，又有高于 25 摄氏度的水热型地热能，从地下 3000 米继续出发，更深处的地热资源温度超过了 180 摄氏度。

在很久以前，人类并不了解地热，也没有先进的技术可以探索地下，修建利用热能的管道，一般也就是顺从大自然的安排，使用一下涌出地面的温泉。但现在，人类有了更多的办法，也有了更多的选择，作为新能源的地热就进入了我们的视野。

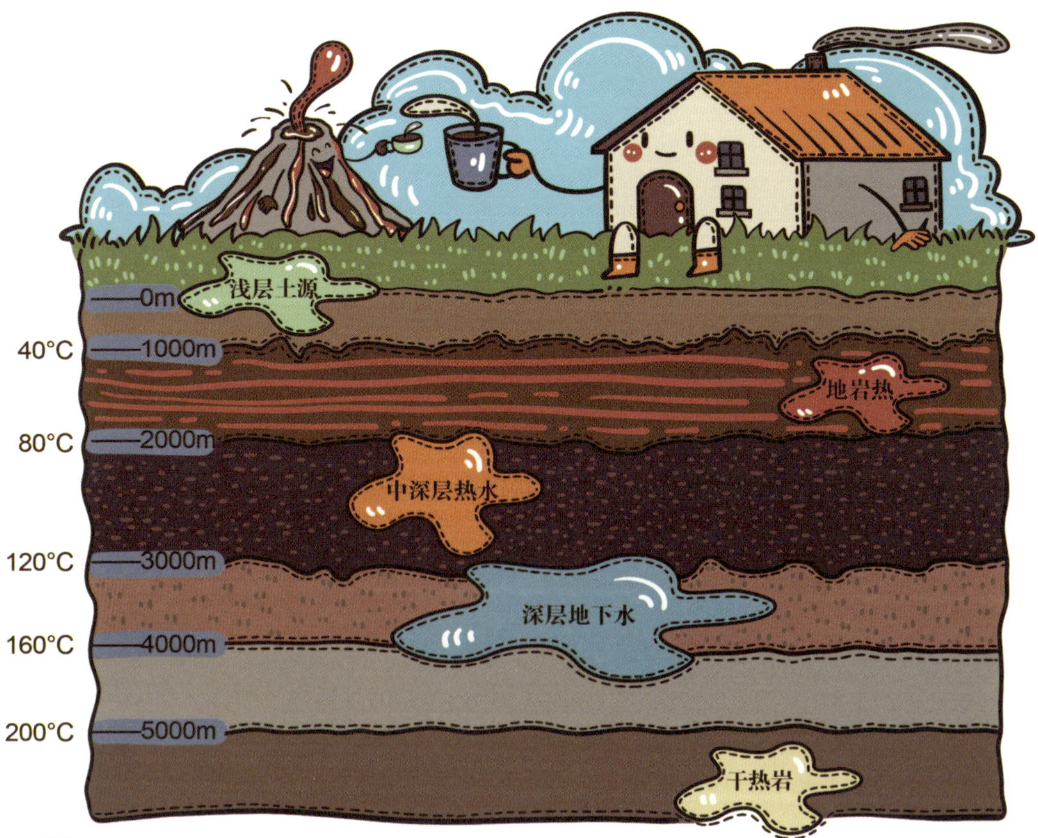

你知道地下不同深度的热能分别适合什么应用吗？

地热资源有深度之分，来自不同深度的热能适合不同的应用方式。

浅层地热温度不是很高，但一年四季都比较稳定，适合当“温度调节器”。人们把管道埋入地下，结合热泵机组来使用，冬天可以供暖，夏天可以制冷，用低碳的方式实现冬暖夏凉。

深度适中的地热温度跨度比较大，用途更加广泛。我们最熟悉的应用就是令人身心放松的温泉了，与此同时，温度较高的地热水也可以用来供暖，更烫的地热水则可以参与发电。开发地热水常常需要建设开采井和回灌井，从地下把热水抽上来，用完以后再把处理过的尾水灌回去，实现平衡。

中国的地热资源

我们国家拥有丰富的地热资源，大概占全球地热资源的六分之一。而且，中国的地热资源类型不单一，既有高温地热，也有中低温地热。从云南腾冲的“热海”，到风景独特的西藏羊八井，从长白山天池到渤海湾盆地，各具特色的地热宝藏分散在中国的版图上，有的正在被开发利用，有的在等待人们的规划。

更深处的热能温度极高，主要用于发电。需要注意的是，开发深层地热资源常常需要压裂地下的高温岩石，安排注水井和生产井，用水或者其他介质把地下的热能带上来。

那么，现在全世界的地热开发进展怎么样呢？地热似乎是一种格外温和低调的新能源，但它的成绩还是很不错的。在 20 世纪，已经有技术成熟、天然条件好的欧洲城市实现了 100% 地热供暖。我们国家也早已开始尝试在大型项目中利用地热资源。2009 年，中国石化和雄县政府合作，开发当地的地热资源，打造了我国首座地热供暖“无烟城”，多年来运转良好，为其他地区建设地热设施提供了经验。

现在，地热能的开发正在全世界“升温”，有很多国家都在尝试更好、更多地利用地下热源。我们国家拥有丰富的地热资源，实践方面的成绩也令人钦佩，2020 年底，中国地热直接利用装机容量已经达到了 40.6 吉瓦，在全世界占到 38%。

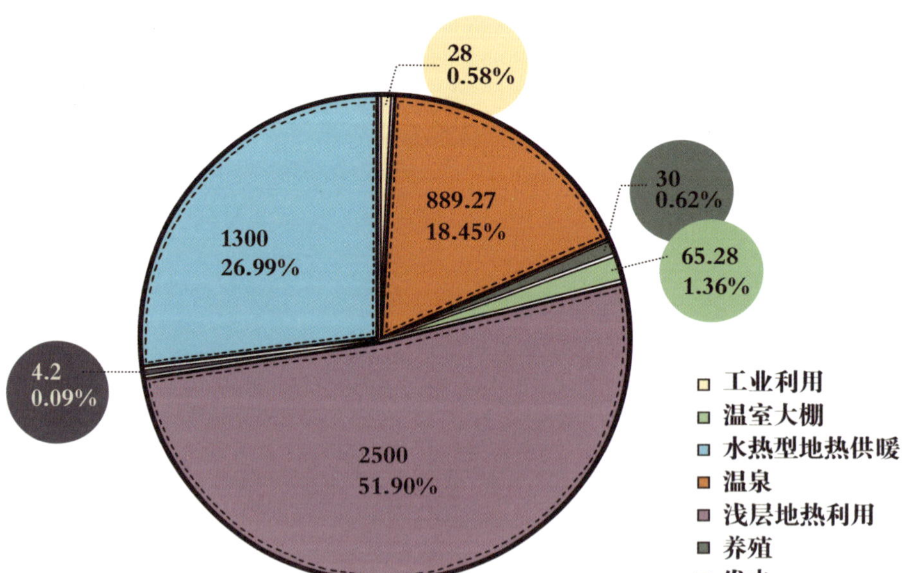

2020 年中国地热开发利用规模（万吨标煤）及结构

地热能的潜力有多惊人？

在未来，地热能可能会有令人惊艳的发展，因为它的潜力非常大。

地热并不是个别地区的特色，只是不同的地方地质条件不同，所以存在一个是否适合开发地热，具体用什么方法开发利用地热的问题。总的来说，地热资源在全世界的分布还是比较广泛的，在板块边缘的四大地热带上，我们可以找到能量满满的高温地热，板块内部也有不少适合开发地热的地点。

地热能的多，不仅仅是可开发地点多，它所蕴藏的能量也相当充沛。有人简单估算过，如果把全球有待利用的地热折算成传统能源，大概相当于5000万亿吨标准煤。而燃煤带来的碳排放问题，地热能是没有的。而且，深藏地下的热源可以持续发热，是一种常年稳定可靠的资源。

而且，除了前面提到的几种主要应用，还有很多需要热能的地方能够用到地热。在没有太阳的时候，地热可以让温室保持温暖，有很多鱼不能在太凉的水中养殖，有地热帮忙可以节省热水器用电，还有地热孵化家禽、地热干燥技术……

在理想的方案中，从地下获取的巨大热能可以实现“梯级”使用。先送去完成发电、烘干这种需要很高温度的任务，温度降低一些以后，刚好可以送去供暖、洗浴，到了后面，还剩一些热量也不必浪费，可以用在养殖、灌溉上。这样一来，我们不仅有电用、有热水，还能给种植和养殖省下一笔钱并减少碳排放。

经过了早期的实践，人们现在也在努力优化方案，希望能多多打造能源市场上受人青睐的地热能产品。有专家提到，地热能毕竟是一种不需要原料的能源，如果对地热的利用可以形成较大的规模，它的发展会更加顺利。到时候，来自地球内部的热能也可以为传统能源的“退休”做好准备了。

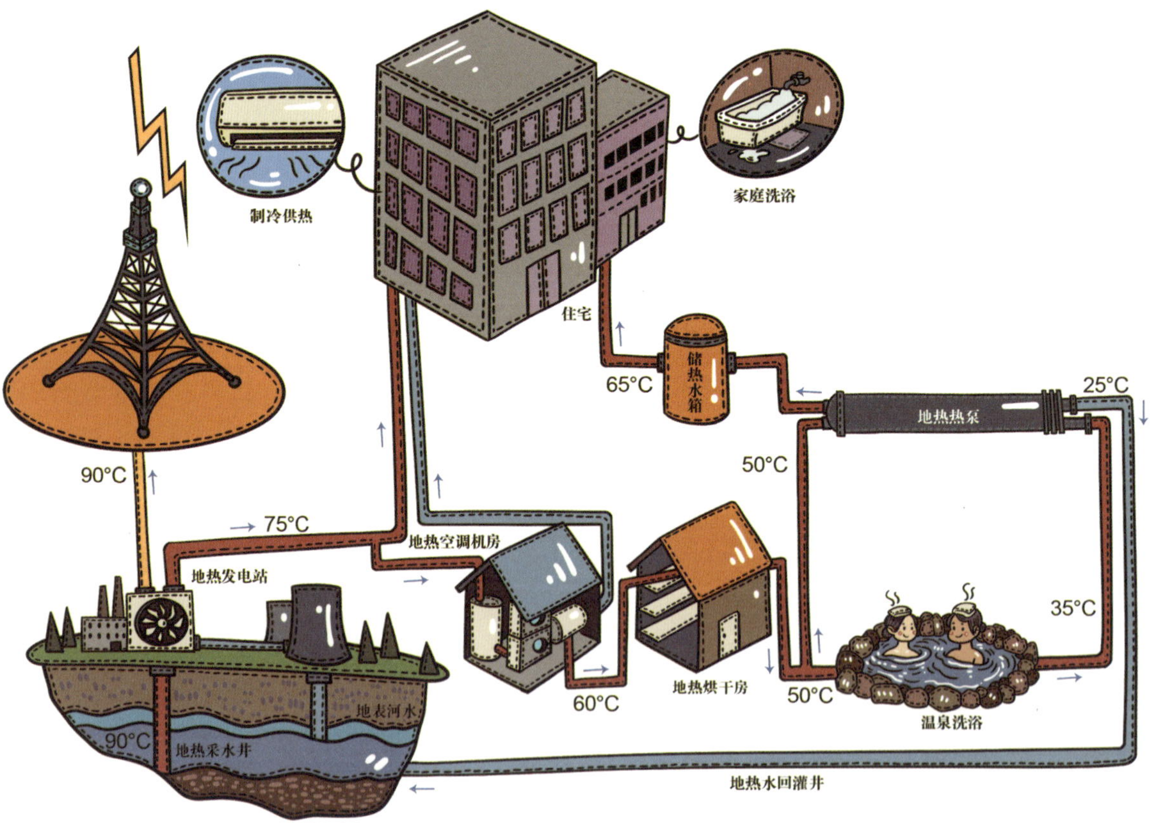

地热能利用

干热岩是一种埋藏在地下数千米深处的热岩体，温度一般大于 180℃，是一种新型地热能源。

“地热能利用”展品（位于中国科技馆主展厅四层“挑战与未来”C厅）演示了干热岩地热能的开采过程。按动蓝色按钮为地下干热岩注入冷水，冷水与干热岩接触后会形成热蒸汽，当热蒸汽运动至顶部时，按下橙色按钮，即可喷出烟圈，模拟供热或发电。地球深处干热岩所蕴含的能量巨大，且干热岩发电既不用燃烧化石燃料，又不会排放温室气体和其他污染物，使用后的温水可以再次注入干热岩中，进行循环利用。因此，干热岩凭借巨大存储量、环保无污染、可循环利用的优势正在成为新能源中冉冉升起的新星。

不同的能源
之间也要组队
合作吗？

“说得这么热闹，新能源还是没有办法直接替代传统能源嘛！”——如果你冒出了这样的想法，那也没有错。传统能源的应用毕竟已经经过了漫长的发展和实践，而新能源就像一群朝气蓬勃的少年，虽然未来可期，但现阶段还不能独自撑起一切。

可是，像煤炭这样的传统能源总有消耗殆尽的时候，保护环境对我们来说又是不能推迟的大事。在这样的情况下，有没有更全面的办法，可以在节能减排和便利生活之间取得平衡呢？

当然有，那就是让不同的能源互相搭档，取长补短，组队合作。

传统能源和新能源可以通力合作吗？

既然传统能源发展成熟、经验丰富，那我们能不能让它们在“退休”之前带一带作为后辈的新能源，逐渐完成过渡和接班呢？

当然可以。新能源和传统能源合作的例子其实并不少见，比如将生物质燃料和传统煤炭混合起来，一起用于发电。这样一方面可以提高生物质发电效率，另一方面还能减少二氧化碳排放。用同样的思路也可以为交通工具制造混合燃料，让马路上少一些“乌烟瘴气”。

更重要的是，我们要让新能源和传统能源一起接入电网，把电能的河流汇集起来，供各家各户取用。这意味着人们不用为新能源单独建设所有设施，不同的能源可以逐渐调节比例，等到新能源发展成熟，供电量足够充足，传统能源就可以放心离场了。

随着新能源技术的进步，很多新能源发电设施近些年也有了不少“余粮”，只为小范围提供用电明显是一种浪费，并网就成了下一步格外重要的环节。在相当多的情况下，对电网来说，接纳新能源发电站会比接纳成熟的传统火电站要难。成熟的火电站容易维持稳定生产，但不少新能源发电站要“靠天吃饭”，转化的电能时多时少，为了保证不稳定的“电能之浪”不至于冲坏电网、造成故障，技术人员就需要在储能、管理、提升电网性能等方面做好准备。

近些年，我们国家在能源工作上的重点之一就是让传统能源用惯了的设施更快更多地接纳新能源，科学家和工程师们也在积极调整设备，保证新能源转化的环保电能顺利并网。在这个过程中，我们不仅能够同时享受已有电力系统的发达和新能源的清洁，还可以更加了解新能源发电站的优点和缺点，为未来的进一步升级打下基础。

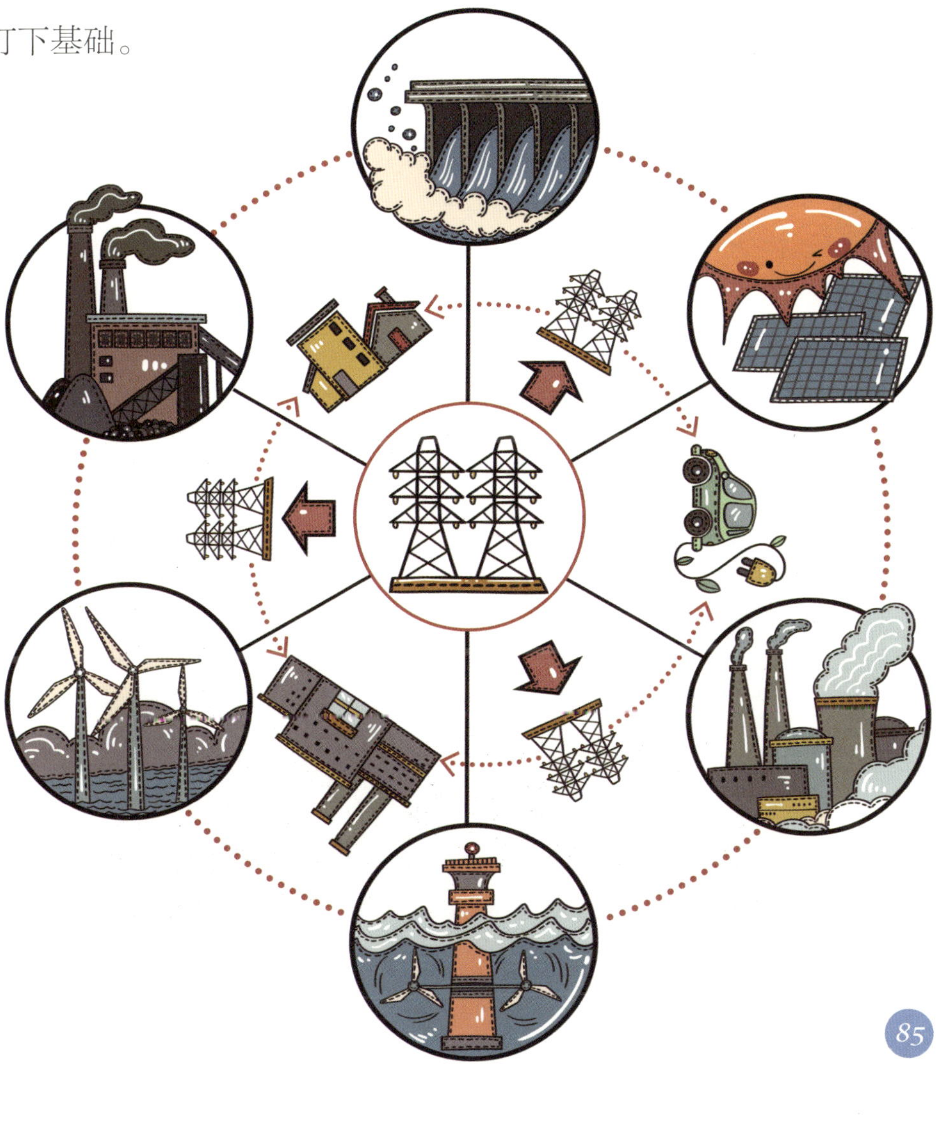

虚拟电厂

发电方式各有千秋，如何让不同发电方式发挥各自优势在合适时间进行电量输出，从而既能满足人们的用电需求，又能充分利用电能减少浪费呢？

“虚拟电厂”展品（位于中国科技馆主展厅四层“挑战与未来”C厅）展示了一种智能化电厂管理系统。在操作台上可以选择单人或双人模式，触摸屏上会出现电量需求，需要在白天或夜晚的场景下，选择合适的电厂、储能等不同模块，放置于屏幕上进行匹配，从而完成供电方案设计任务。之后，多媒体投影将显示出完成任务的基本情况。虚拟电厂是一种通过先进信息通信技术和软件系统，实现分布式能源、储能、可控负荷、电动汽车等的聚合和协调优化，参与电力市场和电网运行的电源协调管理系统。它不是传统意义上的实体发电厂，不具有实体存在的电厂形式，却有远超传统实体电厂的功能，相当于一个电能“智慧管家”，能够有效调节供需不平衡、供电不稳定等矛盾，确保电网的安全稳定运行。

2021 年 5 月，国家电网在上海开展国内首次基于虚拟电厂技术的电力需求响应行动，通过对用电侧的精准管控，实现智慧减碳。虚拟电厂作为“削峰填谷”的有力保障，也是未来电网发展的方向。

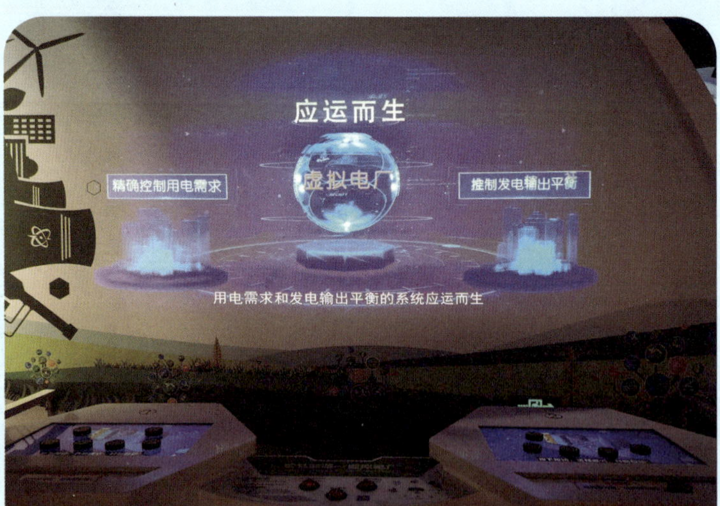

你认识这些配合极佳的新能源搭档吗？

传统能源当然是越早退场越好的。既然新能源有那么多种类，它们之间能不能互相配合，弥补彼此的不足呢？是的，这也是一种很不错的思路，而且已经有了实践。下面我们来看几个堪称绝配的新能源小队，看看它们在一起能够碰撞出什么样的火花。

在前面提到过，有些新能源要“靠天吃饭”，风能和太阳能就是其中的代表了。天气是否晴朗，风能吹多大，这些是我们无法控制的。不过，风和光多少可以互相补充，比如阴天不耽误刮风，再比如很多地方夏天烈日炎炎，而冬天常有大风。

于是，人们想到把太阳能和风能组合起来，进行风光互补发电。小型的风光互补发电适合连接路灯

之类的设施。更大的风光互补发电站则适合建在阳光和风力都很充沛的开阔地区。水平轴风力发电机需要彼此拉开距离才能好好工作，太阳能板刚好可以排在中间，避免浪费空间。

也许你会问，风能和太阳能都有些“任性”，可不可以让更“稳重”的新能源给它们当搭档呢？当然没问题。比如潮光互补发电，就是把潮汐能和太阳能结合起来，又因为潮汐能还有一个月亮能的昵称，它们也被亲切地称为日月组合。

近些年，我们国家就建成了一座潮光互补的智能发电站，实现了水上水下齐发电。潮水可以推动发电机，而水面上则成排支起

太阳能板，从阳光中捕捉能量。用两种方式获得的电能一起交出了亮眼的成绩单。

以同样的思路，人们还想到把地热能也邀请到小队中来，比如让地热能搭配太阳能，把来自天上和地下的热能结合起来供暖。而地热能发电设备有相当一部分建在地下，不过多抢占地面空间，本身又很稳定，所以也可以和其他新能源发电方式搭配起来，共同完成任务。

更重要的是，无论是新能源小队，还是新能源和传统能源搭档，都不必拘泥于 1+1 的形式，能源们完全可以组成天团，用多能互补的方式为人们服务。而它们一起工作的方式也可以更加多样，更有未来感。

多能互补还有哪些充满未来感的方式？

没错，多能互补不只是一种过渡时期的方案，尤其是新能源组合，在未来也许会有更广阔的发展。

在一些科幻故事里，我们能看到闪烁着未来感的城市，到处都安装着先进的太阳能板，核电设施可以实现智能运转，通向地下的深井冒出热能，路上有各式各样的新能源车在奔跑。人们为住宅区和工业区建设了不同的综合供能系统，可以最大程度地利用不止一种能源。

技术日新月异，故事里的场景很可能会变成我们的生活。从城区到农村，从工厂到办公楼，人们越来越希望根据场景来设计多能互补应用，让能源组合不仅高效环保，还足够贴心。

比如未来的零碳大楼，也许可以利用新兴太阳能板实现“光伏建筑一体化”，屋顶甚至整面墙都可以从阳光中吸收能量，转换成电能。地热设备可以与之配合发电，借助梯级利用思路，还可以同时负责室内的温度调节。良好的垃圾分类回收系统能够集中有机垃圾，制造生物质产品，比如生物肥料就可以用在大楼周围的绿化带中。

未来的能源开发站也有希望把多能互补作为优势，不仅仅靠一种能源发电，还能生产其他产品，为别的新能源提供支持。比如海上风电设备不仅有望和潮汐发电搭档工作，或许还可以同时用海水来制氢。也许到时候，我们还能借助更先机的技术在海上建立用于科考、娱乐，甚至生产和居住的设施，而海上综合设备捕捉的清洁能源也可以就近利用，避免长距离输送带来的麻烦。

总之，新能源的开发和利用还有巨大的潜力，在完善设计、提高效率、降低成本方面，单独为每一种新能源制定方案只是思路之一。还可以根据自己的需要，把它们组合起来，先了解原理，再展开想象，让多种能源一起组成科技之舟，载我们去美好的未来！

哪些新能源
之星在
中国诞生？

能源的更新换代是全世界都在关注的大事。从技术创新到设施建设，很多国家都在努力发展新能源，我们中国也不例外。

中国是联合国的常任理事国，也是世界上最重要的发展中国家之一。对我们来说，发展新能源既是为了解决我们自己面临的问题，也是在为全人类保护环境作出贡献。在 20 世纪，中国就已经开始尝试利用不同种类的新能源，到了今天，我们已经培养出了太阳能、风能、核能多个领域的“新能源之星”，多项技术创新达到了世界领先水平！

你知道这些了不起的中国创新吗？

在看过前面几章以后，相信你已经明白，新能源要想发展起来，技术创新是关键。只有掌握了更先进的技术，才能让新能源变得实用而又实惠。

在技术创新方面，已经提到了许多诞生在中国的重要成果，低成本环保制氢就是其中之一。除了打造海上制氢平台，这项技术还有可能完成更多任务，让氢能的开发获得意想不到的突破。正如研发这项成果的谢和平院士告诉我们的，“基于该理论，我们的盐湖水、废水、矿泉水都可以用来制氢，这就像打开了低成本的大门，使氢能源的规模化应用成为可能”。

那么在新能源的其他领域还有什么中国创新呢？在太阳能技术方面，清华大学提出了完善柔性钙钛矿太阳能电池的新方案，通过多功能添加剂提高了光电转化效率，达到了世界领先水平。作为新兴太阳能板的代表之一，柔性钙钛矿太阳能电池有希望大大拓宽太阳能的应用范围，因为它格外轻盈、可以弯曲，适合制作成可穿戴设备，也是无人机供能、光伏建筑一体化的重点方案。有了更高的转化效率，在中国诞生的新型太阳能电池一定能创造更多好成绩。

还有我们的风电技术。从 21 世纪初到现在，国产风电机组不断获得技术突破。在大型风力发电机的设计和建造方面，“风力发电产学研用联盟”通过自主研发实现了 2.4 米 / 秒的低风速启动。强大而可靠的技术让国产系列发电机出口美国、德国等 20 多个国家，在全世界 400 多个风电场运转，奠定了中国在风能开发方面的领先地位。

可以说，虽然中国的新能源开发不是起步最早的，但我们的科学家和工程师在勤奋和创意上不会输给全世界的同行。在中国，新能源的各个领域都在诞生有趣且有用的新点子。也许就在你看书的时候，已经有更新、更棒的方案出现了。

中国的新能源开发工作进展如何？

有了技术支持，我们还要完成很多具体工作才能把新能源开发好，其中最重要的就是相关设施和平台的建设和管理。

在这方面，我们也有许多耀眼的成绩。在 20 世纪，中国就考虑到了能源问题的危急程度，开始建设应用新能源的发电站和其他项目。进入 21 世纪之后，中国的新能源项目不仅越来越多，还越来越先进。

现在，中国正在运行的新能源发电站中，有许多都达到了世界领先水平。比如堪称“国之荣光”的秦山核电站，三年间共 22 台次机组 WANO（世界核电运营者协会）运行综合指数达到满分；而我们新建设的石岛湾核电站则采用了高温气冷堆，安全性超高，是全世界第一座第四代核电站。

我们还拥有全球首台 16 兆瓦海上风电机组，已经在三峡集团福建海上风电场吊装成功。巨人似的超大风车不仅仅是看上去壮观，它还拥有数百个传感器，可以感知周围的温度、湿度、风速，帮助风力发电机调节工作状态。这体现了国产风电技术的实力，也是我们再次出发的起点。

除了逐个开发，我们还尝试了多种能源搭配开发，充分利用清洁可再生的自然资源，做到灵活互补。从天高地广的甘肃玉门，到风景秀丽的贵州威宁，许多地方都建起了风光互补项目。还有更新的组合不断出现。比如美丽的雅砻江水能充沛、光照充足、风能丰富，中国在这里建设了雅砻江水风光一体化示范基地，预计未来新增年发电量可以达到大约 860 亿千瓦时。

那么中国现在到底有多少新能源开发项目呢？很难确定，因为新能源在中国发展太快了。总有新的应用处在建设之中，不断壮大中国新能源的队伍。根据国家能源局的整理，在 2023 年，全球可再生能源新增装机 5.1 亿千瓦，而中国在其中的贡献超过了 50%。这意味着我们国家在能源更新换代的道路上一路向前，即将通过自己的努力为中国和全世界建设更美好的未来。

中国的新能源技术还有哪些值得期待的惊喜？

无论是研发还是实践，中国的新能源行业都在蓬勃发展，还在不少方面有了世界领先的成就。现在，我们的风电和太阳能产品已经出口到了 200 多个国家和地区。国际可再生能源署报告指出，在过去十年，全世界风电和光伏发电的平均度电成本累计下降超过 60% 和 80%，而中国在其中的贡献是巨大的。

未来，中国的科学家和工程师们当然会以同样的勤奋和智慧，继续推动新能源的发展。新的好消息也许会一个接一个到来，为全世界送去数不清的惊喜。

有了良好的基础，中国已经开始开发风能之中潜力超大但人类涉足极少的高空风能。2024 年，我们的第一个可并网兆瓦级高空风能发电示范项目刚刚诞生，计划利用超级风筝似的专用设备从 500 米到 3000 米的高空获得能量。如果这番实践顺利，我们也许很快就能充分利用天上更丰富的风能资源，或许还能进一步搭配太阳能技术，为能源换代再打一针强心剂。

除了找到更多可能，我们还想要从根本入手，为已知的能源开启未知的宝库。其中最重要的研究之一，就是受控核聚变。目前的核电站是以受控核裂变为基础的，相比之下，核聚变燃料更丰富，释放能量更大，一旦技术获得突破，我们就相当于掌握了人造小太阳的方法。目前，中国的“东方超环”已经在这个领域走在世界前列，我国有希望成为第一批掌握受控核聚变的国家。

未来总会到来

20世纪末，谈到能源危机和环境问题，很多人觉得这些多少有些危言耸听，甚至认定在他们的有生之年，地球并不会有太大的变化。但根据国际组织的统计数据，我们对旧能源的依赖确实影响了地球的健康。环境污染、气候异常、物种濒危……有些变化我们能在新闻里看到，有些变化甚至就发生在我们身边。

同样是20世纪末，提起新能源，很多人都说那只是好听的概念。但是后来，随着技术的飞跃，太阳能、风能和核能成长起来，真的卸下了传统能源的一部分重担。氢能、潮汐能、生物质能和地热能的发展也在加速，在人们的努力下，能源的更新换代不再遥不可及。

现在，科学家和工程师们在和时间赛跑。我们希望新能源技术全面成熟起来，抢在危机爆发之前保护地球、保护现代文明。在意义非凡的竞赛中，中国的科技工作者成了许多赛场的领跑者。我们惊叹于他们的成就，也不要忘记让他们一路向前的责任和勇气。

能量要取得出来，也要存得稳妥，用得方便。目前在储能上担当重任的锂电池能不能变得更安全、更好用、更便宜？不仅仅是发电站在进步，未来的新能源发电设备也许还会融合进办公大楼和民宅，那么在满足日常供能之外，家家户户多出来的电能是不是也可以方便有效地“喂给”电网？针对这些问题，我们已经开始了思考、研发和初步的尝试，不断升级技术水平，希望在不久的将来能总结经验，推广到全国甚至国门之外。